# 검토 후기

**검토에 적극 참여하신 많은 선생님들의 구체적이고 세밀한 지적 사항을 가능한한 교재 내용에 모두 반영하려고 노력하였습니다. 그리고 특별히 본교재의 전체적인 내용과 관련하여 질책과 함께 힘이 되는 의견들을 보내주셨는데 내용의 일부를 검토 후기로 정리하였습니다.**

■ 학생들이 풀기 쉽게 쉬운 난이도 문제로 여러 가지 유형이 수록되어 있어서 쉽게 다양한 유형을 익힐 수 있을 것 같습니다.
–동탄 탑 영수 이재욱 선생님

■ 개념을 이해하거나 반복 학습이 필요한 학생들에게 많은 도움이 될 수 있는 교재입니다.
–파스칼수학 이철호 선생님

■ 고등 수업 기초 다지기에 아주 적합한 교재입니다. 수업 분량도 적당하여 많은 학생들에게 추천해 주고 싶습니다.
–지엔탑학원 황하기 선생님

■ 기초가 약한 학생들에게 기초 개념을 확실히 잡아주는 구성과 유형별로 체계화되어 개념 확립을 하기에 좋은 교재입니다.
–참수학학원 유성은 선생님

■ 이 책은 수포자가 되기 전의 학생들에게 문제 수준과 반복 정도, 풀이 및 해설이 적당해서 좋습니다.
–가우스학원 전영학 선생님

■ 기본 실력의 부족으로 수학에 대한 흥미를 잃은 고등학생에게 자신감을 회복시키기에 좋은 교재입니다.
–영수플러스학원 이관범 선생님

■ 딱 필요한 핵심 부분만을 부담 없이 학습할 수 있도록 구성되어 있습니다.
–청어람학원 명경학 선생님

■ 컬러로 되어 있고 유형별로 정리가 되어 수학을 잘 못하는 학생들과 풀이하기 편하게 되어 있어 좋았습니다.
–더파원영어수학 김정용 선생님

■ 책의 구성이 학생의 입장에서 재미를 느끼기에 충분하며, 어렵지도 않으면서 기본을 연마할 수 있는 좋은 교재입니다.
–명일학원 김도헌 선생님

■ 기획 의도와 마케팅 전략이 좋은 것 같습니다. 출판이 된다면 저희 학원에도 꼭 필요한 교재가 될 것 같습니다.
–유정학원 장수원 선생님

■ 선행학습을 원하는 학생들에게도 괜찮은 책이라 생각하여 추천합니다.
–쌤학원 박상진 선생님

■ 학생들이 쉽게 접근할 수 있도록 유형별로 문제들이 잘 배열되어 있어서 학습의욕을 높이는 데 효과적입니다.
–혜움학원 박승배 선생님

■ 기본적인 개념이 안 잡힌 학생들에게 반복적으로 연습시키면 많은 도움이 되겠습니다.
–세엘학원 김창호 선생님

■ 교과서의 기본 개념을 익히기에 최적화 되어 있습니다. 더 이상 수포자는 없을 듯합니다.
–LET'S수학전문학원 김진아 선생님

■ 전체적으로 책의 구성은 선행을 시작하는 학생들이 기본 개념서와 같이 보기에 부교재로 적당할 것 같습니다.
–김장현수학학원 김장현선생님

■ 학생들에게 수학 기초 연습을 시키기에 아주 좋은 교재입니다. 그리고 문제가 많아 좋습니다.
–김정열333학원 김정열 선생님

■ 수학을 포기하려는 학생을 위해 난이도를 낮게 하고 유형에 따른 유사 문제가 이어져 나오는 점이 좋습니다.
–ASK학원 신혜진 선생님

■ 수학의 기본기를 닦고 싶은 학생들에게 좋은 길잡이가 될 것 같습니다.
–EM영수전문학원 이흥식 선생님

■ 수포자가 양산되는 현시점에 수학에 어려움을 느끼는 아이들에게 희망을 줄 수 있는 문제집으로 꼭 필요한 문제집이 나왔다고 생각합니다.
–메릭스학원 이기원 선생님

■ 중등부 연마수학을 학원에서 교재로 애용하고 있던 차에 고등부도 나왔으면 했습니다. 드디어 고등부용 연마수학이 나와서 고맙습니다.
–대학학원 전진수 선생님

■ 수학을 어려워하는 학생들에게 최적화된 구성이라고 생각합니다.
–플라톤수학학원 임낙훈 선생님

■ 학생들에게 이해 능력의 향상과 기초 개념을 확실히 하는 데 도움이 되는 교재입니다.
–알파트로스 김현 선생님

Learning
is a bitter root,
but it **bears** a sweet fruit

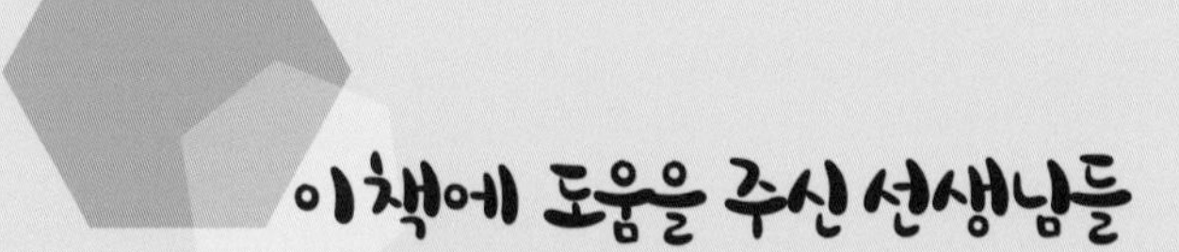



권유정 (유정학원)
김기선 (조은학원)
김도헌 (명일학원)
김상민 (SM파스칼수학)
김석환 (153가우스학원)
김장현 (김장현수학학원)
김정열 (김정열333학원)
김정용 (더파워영어수학)
김진아 (LET'S수학전문학원)
김진호 (투탑학원)
김창호 (세엘학원)
김현 (알파트로스)
남미영 (남명수학)
명경학 (청어람학원)
박상진 (쎈학원)
박수임 (고릴라학원)
박승배 (혜움학원)
박정수 (막강학원)
박철종 (우리학원)
배재웅 (청람학원)
백명종 (맥학원)
백승인 (맥학원)
서병일 (유토피아S학원)
설성환 (설샘학원)
신혜진 (ASK학원)
안광옥 (차이에듀)
유성은 (참수학학원)
이관범 (영수플러스학원)
이기원 (메릭스학원)
이대성 (유투엠학원)
이도형 (MSA학원)
이인영 (이인영선생님의 해법수학)
이재욱 (동탄탑영수)
이종화 (만안해법학원)
이철호 (파스칼수학)
이현수 (플러스알파)
이흥식 (EM영수전문학원)
임낙훈 (플라톤수학학원)
임명진 (서연고학원)
장수원 (유정학원)
전영탁 (가우스학원)
전진수 (대학학원)
정병훈 (봉서푸른학원)
정은성 (챔피온스쿨)
조민우 (학생애학원)
조재천 (와튼학원)
최일환 (이룸학원)
하경 (에프엔비학원)
한준수 (청람학원)
황하기 (지엔탑학원)

# 연마 수학

## 확률과 통계

# 구성과 특징

## 연마 고등 수학의 특징

### 01 스스로 원리를 터득하는 개념 완성 시스템

- 풀이 과정을 채워 가면서 스스로 수학의 원리를 이해할 수 있습니다.
- 주제별, 유형별로 묻는 문제를 반복하여 풀면서 자연스럽게 개념을 완성할 수 있습니다.

### 02 계산 및 적용 능력을 키우는 기본기 확립 시스템

- 탄탄한 기본 연산력이 수학 실력 향상의 밑거름이 될 수 있습니다.
- 주제별, 유형별로 쉽고 재미있는 문제들을 통해 다양한 문제 접근 방법을 습득, 문제에 대한 적용 능력을 키웁니다.
- 기본기가 탄탄하게 강화되어 자신감을 가지게 됩니다.

### 03 문제 해결 능력을 높이는 체계적 실력 향상 시스템

- 단원별, 유형별 다양한 문제 접근 방법으로 문제 해결 능력을 향상시킵니다.
- 주제별, 유형별 다양한 집중 문제 풀이를 통해 체계적으로 실력이 업그레이드 됩니다.

# 연마 고등 수학의 구성

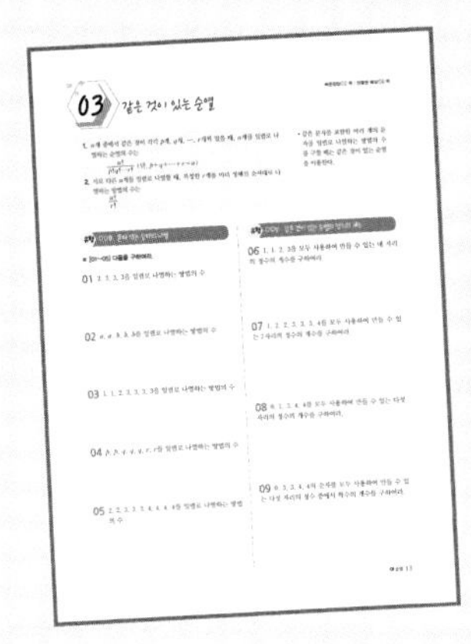

### 개념정리
핵심 내용정리는 단원에서 꼭 알아야 하는 기본적인 개념과 원리를 창(Window) 형태로 이미지화하여 제시함으로 이해하기 쉽고, 기억이 잘됩니다.

### 개념 적용/연산 반복 훈련
기본 원리를 적용하여 같은 유형의 문제를 반복적으로, 스몰스텝으로 단계화하여 풀게함으로써 실력을 키울 수 있습니다. 직접 풀이 과정을 쓰면서 개념을 익힐 수 있도록 하세요. 쉽고 재미있는 문제들을 통하여 수학에 대한 자신감을 가질 수 있습니다.

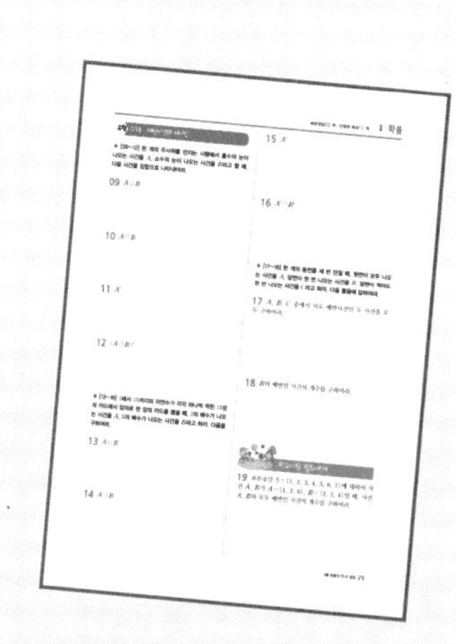

TIP / 문제 풀이에 필요한 도움말을 해당하는 문항의 하단에 제시하여 첨삭지도합니다.

### 학교시험 필수예제
연산 반복 훈련을 통해 터득한 개념과 원리를 확인합니다. 각 유형별로 배운 내용을 정리하고 스스로 문제를 해결함으써 학교 시험에 대비할 수 있습니다.

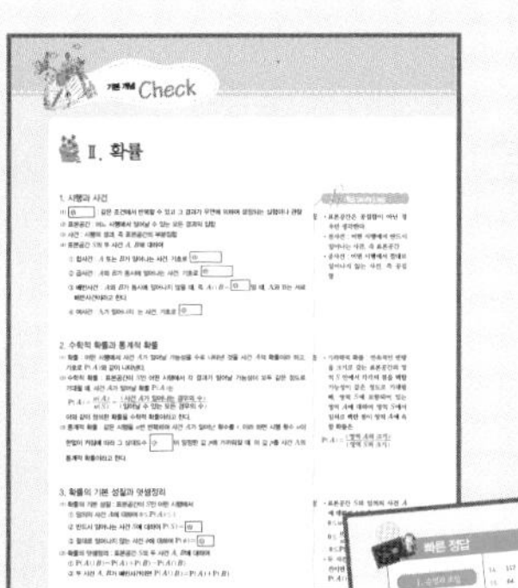

### 대단원 기본 개념 CHECK
문장력 강화와 서술형 대비를 위해 문장 속 네모박스 채우기로 개념을 정리하며, 부분적으로 공부했던 내용들을 한데 모아 전체적으로 조감할 수 있게 하여 단원을 체계적, 종합적으로 마무리하게 합니다.

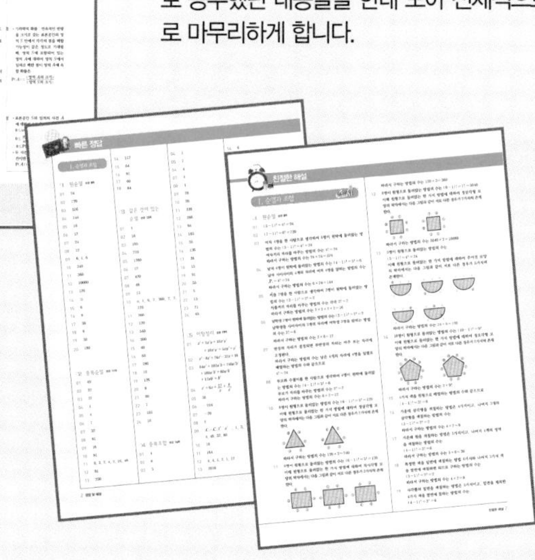

### 빠른정답 & 친절한 해설
가독성을 고려하여 빠른 정답을 새로 배치하여 빠르게 정답을 체크할 수 있도록 구성하였습니다.
또한 기본 문항들 중에서 자세한 해설이 필요한 문항들은 학생들 스스로 해설을 보고 문제를 해결할 수 있도록 친절하게 풀이하였습니다.

# 학습 방법

이 책은 수학의 가장 기본이 되는 연산 능력뿐 아니라 확실하게 개념을 잡을 수 있도록 하여 수학의 기본 실력이 향상되도록 하였습니다.
다음과 같이 본 책을 학습하면 효과를 극대화 할 수 있습니다.

## 01. 개념, 연산 원리 이해

글과 수식으로 표현된 개념을 창(Window)을 통해 시각적으로 표현하여 직관적으로 개념을 익히고, 구체적인 예시와 함께 연산 원리를 이해합니다.

## 02. 연산 반복 훈련

동일한 주제의 문제를 반복하여 손으로 풀어 봄으로써 풀이 방법을 익힙니다. 유형별로 문제를 제시하여 약한 유형이 무엇인지 파악할 수 있어 약한 부분에 대한 집중 학습을 합니다.

## 03. 학교시험 대비

연산 반복 훈련을 통해 개념과 원리를 터득하고, 학교시험 필수 예제 문항을 통해 실제 학교 시험 문제에 적용하여 풀어 봅니다. 또한 교과서 수준의 개념을 한눈에 확인할 수 있도록 빈칸 채우기 형식의 문제로 대단원 기본 개념 CHECK를 통해 전체적인 개념과 흐름을 확인합니다.

# 차례

목제주령구

신라 시대의 14면체 주사위.

불꽃놀이

불꽃놀이는 불꽃이 터지는 시간의 배열에 따라 다양한 모양을 연출할 수 있음.

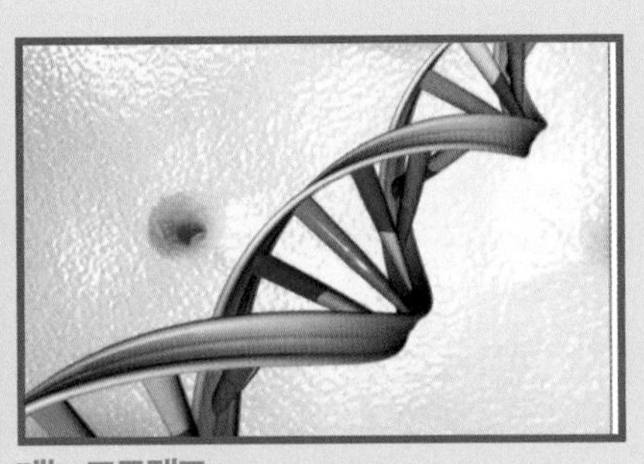

게놈 프로젝트

염기의 배열을 분석하는 과정에서 순열과 조합이 활용.

# 어떻게?

## 4종의 염기인 아데닌, 시토신, 구아닌, 티민만으로 다양한 유전 정보가 정해질 수 있을까?

### 그 답은 바로 4종의 염기가 배열되는 순서에 따라 유전 정보가 결정되기 때문!

과학자들은 인체의 유전 정보를 가지고 있는 게놈(genome)을 해독해 유전자 지도를 작성하고 유전자 배열을 분석하는 연구 작업인 게놈 프로젝트를 활발하게 진행하고 있다.

게놈은 유전자(gene)와 세포핵 속에 있는 염색체(chromosome)의 합성어로 유전물질인 디옥시리보 핵산(DNA)의 집합체를 뜻하며 이것이 생명 현상을 결정짓기 때문에 흔히 '생물의 설계도' 또는 '생명의 책'이라 불린다.

한 개의 세포에는 23쌍의 염색체가 들어 있으며 이 염색체 안에 있는 DNA는 4종의 염기인 아데닌(A), 시토신(C), 구아닌(G), 티민(T)이 일정한 순서의 사슬 모양으로 길게 연결된 2중 나선형 구조로 되어 있다.

DNA를 구성하고 있는 이 염기들의 배열에 따라 유전 정보가 정해지는데, 그 염기 배열에 따라 각 개체가 합성하는 단백질의 아미노산 순서와 배열이 결정된다.

이와 같은 염기의 배열을 분석하는 것은 유전적 요소를 연구할 때 매우 중요한 일이며, 염기의 배열을 분석하는 과정에서 순열과 조합이 중요한 도구로 쓰인다.

# I 순열과 조합

학습목표

01 원순열, 중복순열의 뜻을 알고, 원순열, 중복순열의 수를 구할 수 있다.
02 중복조합의 뜻을 알고, 중복조합의 수를 구할 수 있다.
03 이항정리를 이해하고, 이를 이용하여 여러 가지 문제를 해결할 수 있다.

# 01 원순열

1. **원순열** : 서로 다른 것을 원형으로 배열하는 순열
2. **원순열의 수** : 서로 다른 $n$개를 원형으로 배열하는 원순열의 수는

$$\frac{n!}{n}=(n-1)!$$

3. 다각형 모양의 탁자에 둘러앉는 방법의 수는
(원순열의 수)×(회전시켰을 때 겹쳐지지 않는 자리의 수)

• 서로 다른 $n$개에서 $r$개를 택한 후 원형으로 배열하는 원순열의 수는 $\frac{{}_n\mathrm{P}_r}{r}$

## 유형 001 원탁에 둘러앉는 방법의 수

**01** 다섯 명의 가족이 원탁에 둘러앉는 방법의 수를 구하여라.

**02** 어른 3명, 어린이 4명이 원탁에 둘러앉는 방법의 수를 구하여라.

**※ [03~04] 4쌍의 커플이 원탁에 둘러앉을 때, 다음을 구하여라.**

**03** 여자끼리 이웃하여 앉는 방법의 수

**04** 여자끼리 이웃하지 않게 앉는 경우의 수

**05** 3쌍의 커플이 원탁에 둘러앉을 때, 커플끼리 이웃하게 앉는 방법의 수를 구하여라.

**06** 남학생 3명과 여학생 3명이 원탁에 둘러앉을 때, 남학생과 여학생이 교대로 앉는 방법의 수를 구하여라.

**07** 반장, 부반장을 포함하여 6명의 학생들이 원탁에 둘러앉을 때, 반장과 부반장이 서로 마주 보고 앉는 방법의 수를 구하여라.

### 학교시험 필수예제

**08** 수철이네 가족은 부모를 포함하여 6명이다. 6명이 모두 원탁에 둘러앉을 때, 수철이의 양 옆에 부모가 앉는 방법의 수를 구하여라.

## 유형 002 여러 가지 모양의 탁자에 둘러앉는 방법의 수

**09** 오른쪽 그림과 같은 정사각형 모양의 탁자에 4명이 둘러앉는 방법의 수를 구하여라.

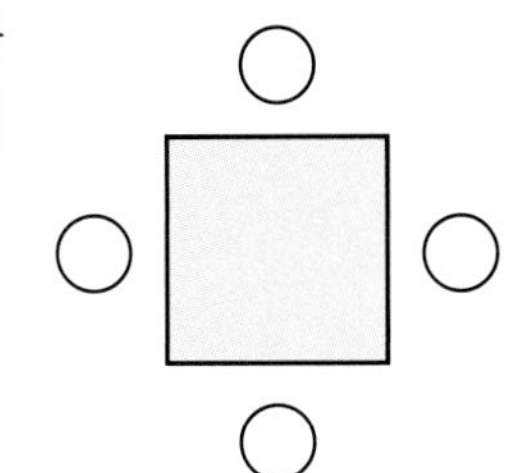

해설 | 4명이 원형으로 둘러앉는 방법의 수는 □가지이다.
이때 정사각형 모양의 탁자에서는 원형으로 둘러앉는 1가지 방법에 대하여 □가지 경우만 존재한다.
따라서 구하는 방법의 수는 □이다.

**10** 오른쪽 그림과 같은 정삼각형 모양의 탁자에 6명의 학생이 둘러앉는 방법의 수를 구하여라.

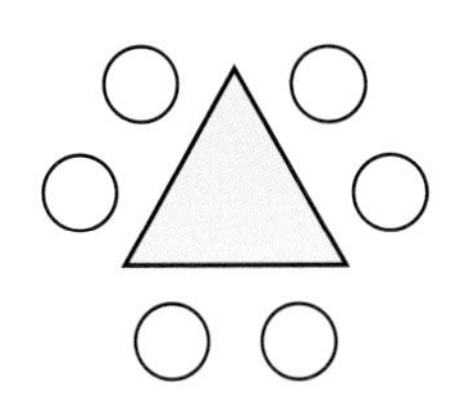

**11** 오른쪽 그림과 같은 직사각형 모양의 탁자에 6명의 가족이 둘러앉는 방법의 수를 구하여라.

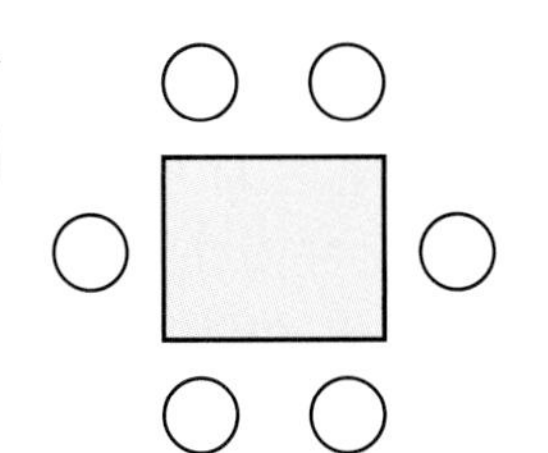

**12** 오른쪽 그림과 같은 정사각형 모양의 탁자에 8명이 둘러앉는 방법의 수를 구하여라.

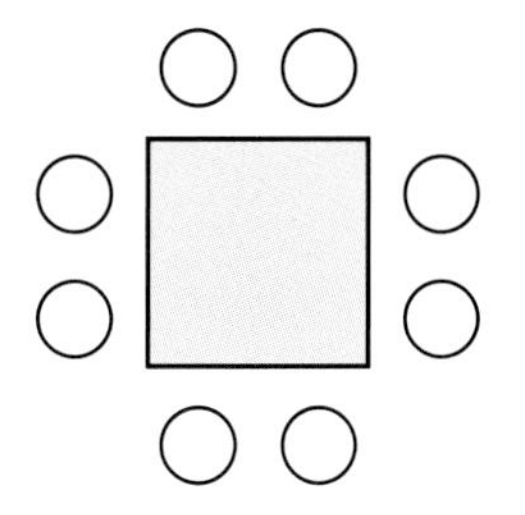

**13** 오른쪽 그림과 같은 탁자에 5명이 둘러앉는 방법의 수를 구하여라.

## 학교시험 필수예제

**14** 오른쪽 그림과 같은 정오각형 모양의 탁자에 10명이 둘러앉는 방법의 수는?

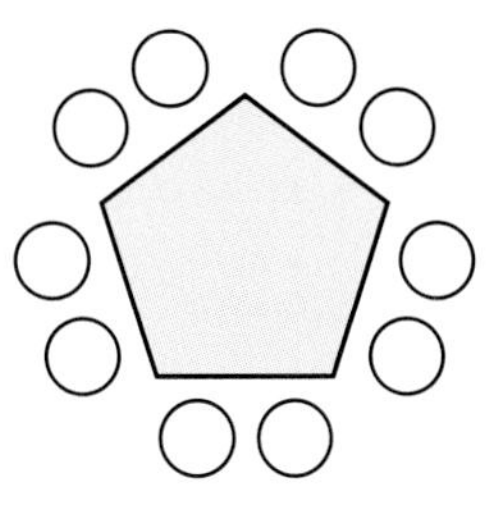

① $2\times8!$ ② $2\times9!$
③ $4\times9!$ ④ $2\times10!$
⑤ $4\times10!$

## 유형 003 도형에 색칠하는 방법의 수

**15** 오른쪽 그림과 같은 4등분한 원판을 빨강, 파랑, 노랑, 초록의 4가지 색을 모두 이용하여 칠하는 방법의 수를 구하여라.

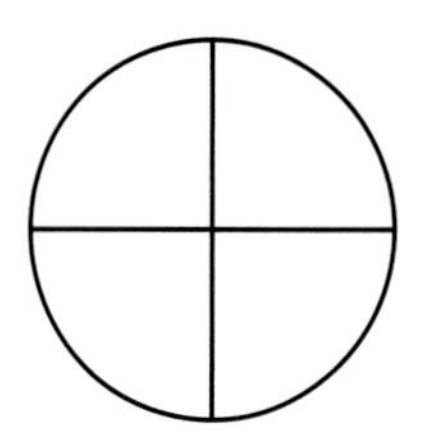

**16** 오른쪽 그림과 같이 정삼각형으로 이루어진 4개의 영역을 빨강, 주황, 노랑, 초록의 4가지 색을 모두 이용하여 칠하는 방법의 수를 구하여라.

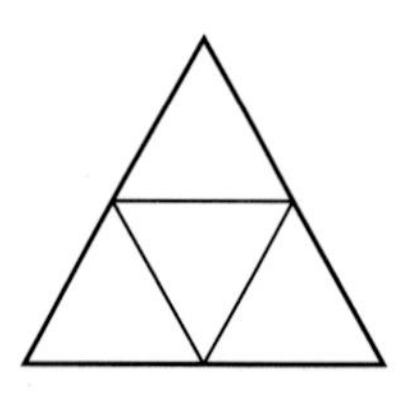

**17** 오른쪽 그림과 같이 5개의 영역으로 나누어진 원을 서로 다른 5가지의 색을 모두 이용하여 칠하는 방법의 수를 구하여라. (단, 가운데 원을 제외한 4개의 영역은 합동이다.)

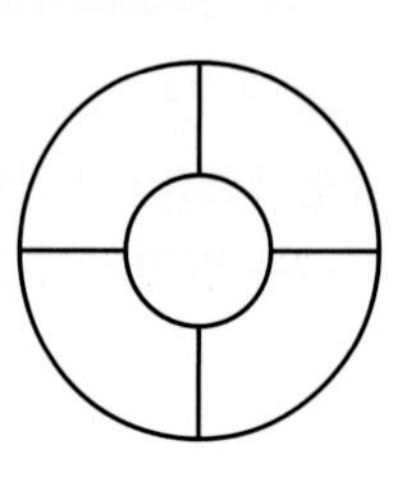

**18** 오른쪽 그림과 같은 정사면체의 각 면을 노랑, 초록, 파랑, 보라의 4가지 색을 모두 이용하여 칠하는 방법의 수를 구하여라.

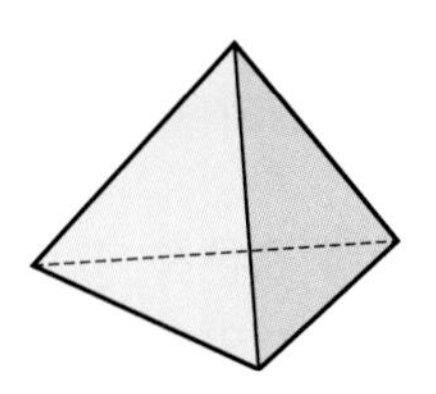

**19** 오른쪽 그림과 같이 밑면이 정사각형인 사각뿔의 각 면을 빨강, 노랑, 주황, 초록, 파랑의 5가지 색을 모두 이용하여 칠하는 방법의 수를 구하여라.

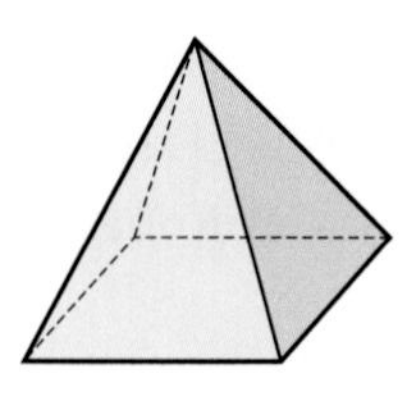

**20** 오른쪽 그림과 같은 사각뿔대의 각 면을 서로 다른 6가지 색을 모두 이용하여 칠하는 방법의 수를 구하여라. (단, 옆면은 모두 합동인 사다리꼴이다.)

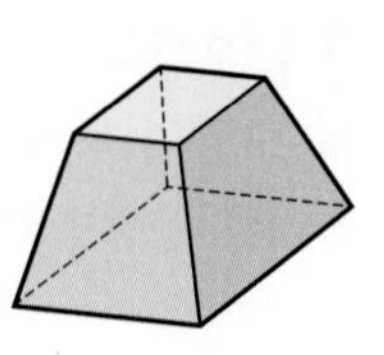

# 중복순열

빠른정답 02쪽 / 친절한 해설 08쪽

1. **중복순열** : 중복을 허용하여 만든 순열을 중복순열이라 하고, 서로 다른 $n$개에서 중복을 허용하여 $r$개를 택하는 중복순열의 수를 기호로 ${}_n\Pi_r$와 같이 나타낸다.
2. **중복순열의 수** : 서로 다른 $n$개에서 $r$개를 택하는 중복순열의 수는
   ${}_n\Pi_r = n\times n\times\cdots\times n = n^r$

- ${}_n\Pi_r$의 $\Pi$는 곱을 뜻하는 Product의 첫 글자 P에 해당하는 그리스 문자로 '파이'라고 읽는다.
- ${}_nP_r$에서는 $0\le r\le n$이어야 하지만 ${}_n\Pi_r$에서는 $r>n$일 수도 있다.

## 유형 004 중복순열의 계산

※ [01~04] 다음 값을 구하여라.

**01** ${}_7\Pi_2$

**02** ${}_2\Pi_5$

**03** ${}_3\Pi_3$

**04** ${}_5\Pi_0$

※ [05~06] 다음을 만족시키는 $n$ 또는 $r$의 값을 구하여라.

**05** ${}_n\Pi_3=64$

**06** ${}_2\Pi_r=128$

## 유형 005 신호의 개수와 배정 방법의 수

**07** 2가지 부호 ·와 –에서 중복을 허용하여 5개를 뽑아 일렬로 배열하여 만들 수 있는 신호의 개수를 구하여라.

**08** 빨간색, 파란색, 흰색의 3가지 깃발이 있을 때, 이 깃발을 4번 들어 올려서 만들 수 있는 신호의 개수를 구하여라. (단, 두 개 이상의 깃발을 동시에 들어 올리지 않는다.)

**09** 4명의 유권자가 2명의 후보 중에서 한 명의 후보에게 각각 투표하는 방법의 수를 구하여라. (단, 투표 용지에는 유권자의 이름이 공개되고, 무효표는 없는 것으로 한다.)

**10** 4명의 친구 A, B, C, D가 3개의 숙소 201호, 202호, 203호에 투숙하는 방법의 수를 구하여라.
(단, 빈 방이 있을 수도 있다.)

## 유형 006 중복순열을 이용한 정수의 개수

**11** 4개의 숫자 0, 1, 2, 3에서 중복을 허용하여 만들 수 있는 세 자리의 자연수의 개수를 구하여라.

해설| 백의 자리에는 □이 올 수 없으므로 백의 자리에 올 수 있는 숫자는 □가지이다.
십의 자리와 일의 자리에는 0, 1, 2, 3의 4개의 숫자 중에서 중복을 허용하여 □개를 뽑아 나열하는 것과 같으므로
$_{\square}\Pi_{\square}=\square$
따라서 구하는 경우의 수는 □이다.

**12** 3개의 숫자 1, 2, 3에서 중복을 허용하여 만들 수 있는 네 자리의 자연수의 개수를 구하여라.

**13** 5개의 숫자 1, 2, 3, 4, 5에서 중복을 허용하여 만들 수 있는 네 자리의 자연수 중에서 짝수의 개수를 구하여라.

**14** 4개의 숫자 1, 2, 3, 4에서 중복을 허용하여 만들 수 있는 네 자리의 자연수 중에서 3200보다 큰 자연수의 개수를 구하여라.

## 유형 007 함수의 개수

**15** 두 집합 $X=\{0, 1, 2\}$, $Y=\{a, b, c, d\}$에 대하여 $X$에서 $Y$로의 함수의 개수를 구하여라.

**16** 두 집합 $X=\{a, b, c, d\}$, $Y=\{p, q, r\}$에 대하여 $X$에서 $Y$로의 함수의 개수를 구하여라.

**17** 두 집합 $X=\{1, 2, 3\}$, $Y=\{a, b, c, d, e\}$에 대하여 $X$에서 $Y$로의 일대일함수의 개수를 구하여라.

## 학교시험 필수예제

**18** 두 집합 $X=\{1, 2, 3, 4\}$, $Y=\{a, b, c, d\}$에 대하여 $X$에서 $Y$로의 함수 $f$ 중에서 $f(3)=b$인 함수의 개수를 구하여라.

# 같은 것이 있는 순열

빠른정답 02쪽 / 친절한 해설 08쪽

1. $n$개 중에서 같은 것이 각각 $p$개, $q$개, $\cdots$, $r$개씩 있을 때, $n$개를 일렬로 나열하는 순열의 수는
$$\frac{n!}{p!q!\cdots r!} \text{ (단, } p+q+\cdots+r=n\text{)}$$
2. 서로 다른 $n$개를 일렬로 나열할 때, 특정한 $r$개를 미리 정해진 순서대로 나열하는 방법의 수는
$$\frac{n!}{r!}$$

• 같은 문자를 포함한 여러 개의 문자를 일렬로 나열하는 방법의 수를 구할 때는 같은 것이 있는 순열을 이용한다.

## 유형 008 문자 또는 숫자의 나열

※ [01~05] 다음을 구하여라.

**01** 2, 3, 3, 3을 일렬로 나열하는 방법의 수

**02** $a$, $a$, $b$, $b$, $b$를 일렬로 나열하는 방법의 수

**03** 1, 1, 2, 3, 3, 3, 3을 일렬로 나열하는 방법의 수

**04** $p$, $p$, $q$, $q$, $q$, $r$, $r$를 일렬로 나열하는 방법의 수

**05** 2, 2, 3, 3, 3, 4, 4, 4, 4를 일렬로 나열하는 방법의 수

## 유형 009 같은 것이 있는 순열의 정수의 개수

**06** 1, 1, 2, 3을 모두 사용하여 만들 수 있는 네 자리의 정수의 개수를 구하여라.

**07** 1, 2, 2, 3, 3, 3, 4를 모두 사용하여 만들 수 있는 7자리의 정수의 개수를 구하여라.

**08** 0, 1, 3, 4, 4를 모두 사용하여 만들 수 있는 다섯 자리의 정수의 개수를 구하여라.

**09** 0, 3, 3, 4, 4의 숫자를 모두 사용하여 만들 수 있는 다섯 자리의 정수 중에서 짝수의 개수를 구하여라.

## 유형 010 제한 조건이 있을 때의 같은 것이 있는 순열의 수

**10** continue에 있는 8개의 문자를 일렬로 나열할 때, 양 끝에 o와 t가 오도록 나열하는 방법의 수를 구하여라.

해설 | □와 □를 제외한 6의 문자 c, n, i, n, u, e를 일렬로 나열하는 방법의 수는

$\frac{\square!}{\square!}=\square$

양 끝에 o와 t를 나열하는 방법의 수는

$\square!=\square$

따라서 구하는 방법의 수는 □이다.

**11** printing에 있는 8개의 문자를 일렬로 나열할 때, 양 끝에 p와 g가 오도록 나열하는 방법의 수를 구하여라.

**12** student에 있는 7개의 문자를 일렬로 나열할 때, 양 끝에 모음이 오도록 나열하는 방법의 수를 구하여라.

**13** baseball에 있는 8개의 문자를 일렬로 나열할 때, 모음끼리 이웃하도록 나열하는 방법의 수를 구하여라.

**14** 7개의 문자 A, B, C, C, D, D, D를 나열할 때, A와 B가 이웃하지 않도록 나열하는 방법의 수를 구하여라.

**15** 5개의 문자 A, B, C, D, E를 일렬로 나열할 때, B가 E보다 앞에 오는 방법의 수를 구하여라.

**16** 6개의 숫자 2, 2, 3, 4, 5, 6을 일렬로 나열할 때, 4, 5, 6은 크기가 작은 것부터 순서대로 나열하는 방법의 수를 구하여라.

## 학교시험 필수예제

**17** 6개의 문자 A, B, C, D, E, F를 일렬로 나열할 때, A는 D보다 앞에 오고, B는 E보다 앞에 오도록 일렬로 나열하는 방법의 수를 구하여라.

## 유형 011 장애물이 없는 경우 최단 거리로 가는 방법의 수

**18** 오른쪽 그림과 같은 도로망이 있다. A에서 B까지 최단 거리로 가는 방법의 수를 구하여라.

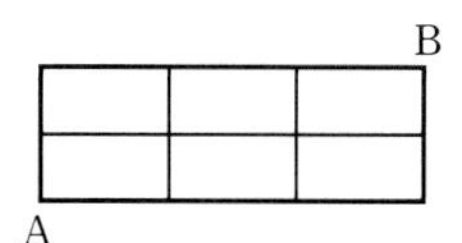


**19** 오른쪽 그림과 같은 도로망이 있다. A에서 B까지 최단 거리로 가는 방법의 수를 구하여라.

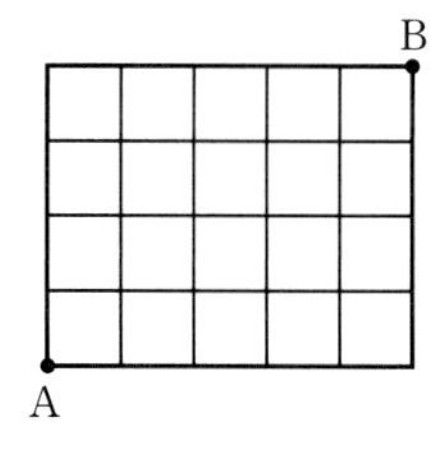


**20** 오른쪽 그림과 같은 도로망이 있다. A에서 P를 지나 B까지 최단 거리로 가는 방법의 수를 구하여라.

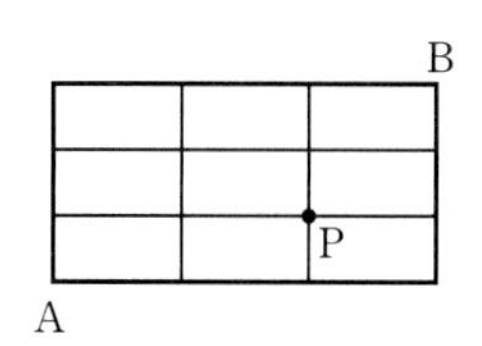


**21** 오른쪽 그림과 같은 도로망이 있다. A에서 P를 지나 B까지 최단 거리로 가는 방법의 수를 구하여라.

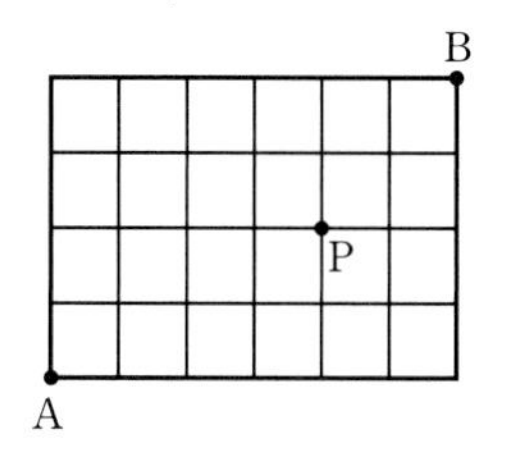


## 유형 012 장애물이 있는 경우 최단 거리로 가는 방법의 수

**22** 오른쪽 그림과 같은 도로망이 있다. A에서 B까지 최단 거리로 가는 방법의 수를 구하여라.

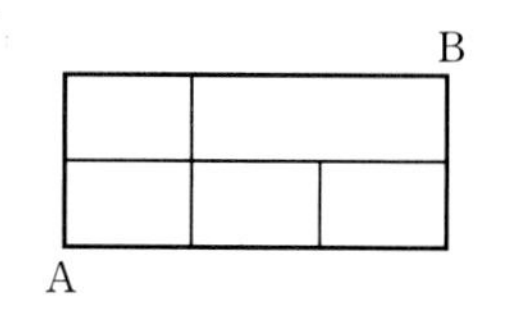


**23** 오른쪽 그림과 같은 도로망이 있다. A에서 B까지 최단 거리로 가는 방법의 수를 구하여라.

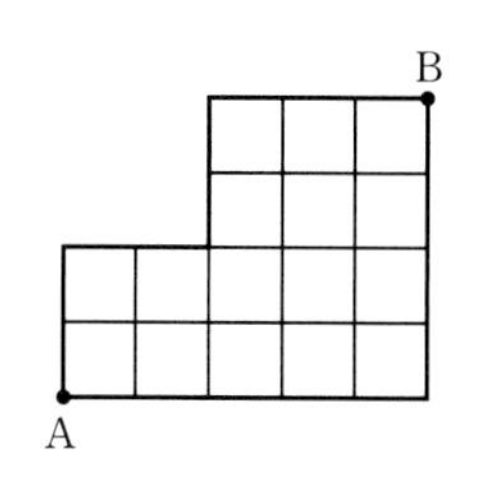

## 학교시험 필수예제

**24** 오른쪽 그림과 같은 도로망이 있다. A에서 B까지 최단 거리로 가는 방법의 수를 구하여라.

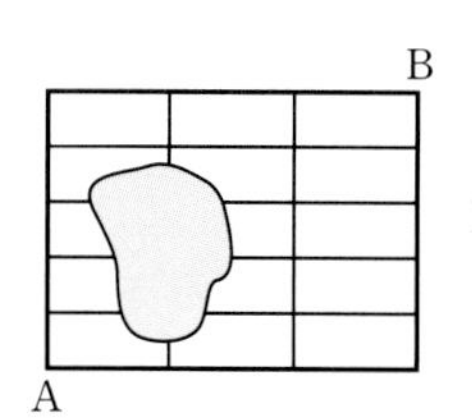

# 중복조합

1. **중복조합** : 중복을 허용하여 만든 조합을 중복조합이라 하고, 서로 다른 $n$개에서 중복을 허용하여 $r$개를 택하는 중복조합의 수를 기호로 ${}_{n}\mathrm{H}_{r}$와 같이 나타낸다.
2. **중복조합의 수** : 서로 다른 $n$개에서 $r$개를 택하는 중복조합의 수는
   ${}_{n}\mathrm{H}_{r}={}_{n+r-1}\mathrm{C}_{r}$
3. 방정식 $x+y+z=n$ ($n$은 자연수)에서 $x$, $y$, $z$가
   ① 모두 음이 아닌 정수인 해의 개수 : ${}_{3}\mathrm{H}_{n}$
   ② 모두 양의 정수인 해의 개수 : ${}_{3}\mathrm{H}_{n-3}$ (단, $n\geq3$)
4. $(x+y+z)^{n}$의 전개식의 서로 다른 항의 개수는 ${}_{3}\mathrm{H}_{n}$

- ${}_{n}\mathrm{H}_{r}$의 H는 같음을 뜻하는 homogeneous의 첫 글자이다.
- ${}_{n}\mathrm{C}_{r}$에서는 $0\leq r\leq n$이어야 하지만 ${}_{n}\mathrm{H}_{r}$에서는 중복하여 택할 수 있기 때문에 $r>n$일 수도 있다.

## 유형 013 중복조합의 계산

※ [01~04] 다음 값을 구하여라.

**01** ${}_{4}\mathrm{H}_{1}$

**02** ${}_{3}\mathrm{H}_{2}$

**03** ${}_{2}\mathrm{H}_{4}$

**04** ${}_{5}\mathrm{H}_{0}$

※ [05~08] 다음을 만족시키는 $n$의 값을 구하여라.

**05** ${}_{5}\mathrm{H}_{3}={}_{n}\mathrm{C}_{3}$

**06** ${}_{2}\mathrm{H}_{3}={}_{n}\mathrm{C}_{1}$

**07** ${}_{n}\mathrm{H}_{2}=10$

**08** ${}_{n}\mathrm{H}_{3}=20$

### 유형 014 중복조합을 이용한 경우의 수

**09** 사과, 귤, 배만 파는 과일 가게에서 6개의 과일을 고르는 방법의 수를 구하여라.

**10** 4개의 숫자 1, 2, 3, 4에서 중복을 허용하여 3개의 숫자를 택하는 방법의 수를 구하여라.

**11** 5명의 학생에게 같은 종류의 농구공 7개를 나누어 주는 방법의 수를 구하여라.

**12** 장미, 튤립, 국화, 백합의 4종류의 꽃에서 10송이의 꽃을 구입하는 방법의 수를 구하여라.

**13** 6개의 같은 물건을 모양이 다른 4개의 상자에 넣는 방법의 수를 구하여라.
(단, 물건을 넣지 않는 상자가 있을 수도 있다.)

**※ [14~15] 4명의 학생에게 같은 종류의 음료수 8개를 나누어 주려고 할 때, 다음을 구하여라.**

**14** 음료수 8개를 나누어 주는 방법의 수

**15** 음료수 8개를 각 학생에게 적어도 한 개씩 나누어 주는 방법의 수

### 학교시험 필수예제

**16** 2명의 후보가 출마한 선거에서 7명의 유권자가 한 명의 후보에게 각각 투표할 때, 무기명으로 투표하는 방법의 수를 $a$, 기명으로 투표하는 방법의 수를 $b$라고 하자. 이때 $a+b$의 값을 구하여라.
(단, 무효표는 없는 것으로 한다.)

## 유형 015 방정식의 해의 개수

※ [17~18] $x$, $y$, $z$에 대한 방정식 $x+y+z=7$에 대하여 다음을 구하여라.

**17** 음이 아닌 정수해의 개수

**18** 양의 정수해의 개수

※ [19~20] $x$, $y$, $z$에 대한 방정식 $x+y+z=12$에 대하여 다음을 구하여라.

**19** 음이 아닌 정수해의 개수

**20** 양의 정수해의 개수

## 유형 016 전개식의 항의 개수

※ [21~24] 다음 식을 전개할 때 생기는 서로 다른 항의 개수를 구하여라.

**21** $(x+y)^4$

**22** $(x+y+z)^4$

**23** $(a+b+c)^5$

**24** $(a+b+c)^8$

# 이항정리

1. **이항정리** : $n$이 자연수일 때, $(a+b)^n$의 전개식은 다음과 같고, 이것을 이항정리라고 한다.
$$(a+b)^n = {}_nC_0\,a^n + {}_nC_1\,a^{n-1}b + \cdots + {}_nC_r\,a^{n-r}b^r + \cdots + {}_nC_n\,b^n$$
$$= \sum_{r=0}^{n} {}_nC_r a^{n-r}b^r$$
이때 각 항의 계수 ${}_nC_0$, ${}_nC_1$, $\cdots$, ${}_nC_r$, $\cdots$, ${}_nC_n$을 이항계수라 하고, ${}_nC_r\,a^{n-r}b^r$을 $(a+b)^n$의 전개식의 일반항이라고 한다.
2. **다항정리** : $n$이 자연수일 때, $(a+b+c)^n$의 전개식의 일반항은
$$\frac{n!}{p!q!r!}a^p b^q c^r$$ (단, $p+q+r=n$이고, $p\geq 0$, $q\geq 0$, $r\geq 0$인 정수)

• ${}_nC_r = {}_nC_{n-r}$이므로 $(a+b)^n$의 전개식에서
($a^{n-r}b^r$의 계수)$=$($a^r b^{n-r}$의 계수)

## 유형 017 $(a+b)^n$의 전개식

※ [01~04] 이항정리를 이용하여 다음 식을 전개하여라.

**01** $(x+y)^5$

**02** $(x-2)^4$

**03** $(2a+b)^6$

**04** $\left(x+\frac{2}{x}\right)^3$

※ [05~07] 다음을 구하여라.

**05** $(a+b)^8$의 전개식에서 $a^3b^5$의 계수

**06** $(2x-3y)^4$의 전개식에서 $xy^3$의 계수

**07** $\left(x-\frac{1}{x}\right)^6$의 전개식에서 상수항

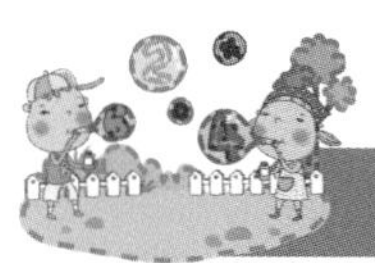

### 학교시험 필수예제

**08** $(1+ax)^5$의 전개식에서 $x^4$의 계수가 80일 때, 양수 $a$의 값을 구하여라.

## 유형 018 $(a+b)^p(c+d)^q$ 의 전개식

**09** $(1+x)^3(2+x)^4$ 의 전개식에서 $x$의 계수를 구하여라.

해설| $(1+x)^3$의 전개식의 일반항은 ${}_3C_r x^r$
$(2+x)^4$의 전개식의 일반항은 ${}_4C_s 2^{4-s}x^s$
따라서 $(1+x)^3(2+x)^4$의 전개식의 일반항은
$\square$
$x$항은 $r+s=\square$ $(0\le r\le \square,\ 0\le s\le \square$인 정수$)$일 때이므로
(i) $r=1,\ s=0$인 경우 $\square$
(ii) $r=0,\ s=1$인 경우 $\square$
(i), (ii)에 의하여 $x$의 계수는 $\square$이다.

**10** $(x+1)^3(2-x)^4$의 전개식에서 $x$의 계수를 구하여라.

**11** $(2+x^2)^2(1+2x)^5$의 전개식에서 $x^2$의 계수를 구하여라.

## 유형 019 $(a+b+c)^n$의 전개식

**12** $(a+b+c)^4$의 전개식에서 $ab^2c$의 계수를 구하여라.

해설| $(a+b+c)^4$의 전개식의 일반항은
$\dfrac{\square!}{p!q!r!}a^pb^qc^r$
(단, $p+q+r=\square$, $p\ge 0$, $q\ge 0$, $r\ge 0$인 정수)
$a^pb^qc^r=ab^2c$에서 $p=\square$, $q=\square$, $r=\square$
따라서 $ab^2c$의 계수는 $\square$이다.

**13** $(2x+y+3z)^8$의 전개식에서 $x^2y^5z$의 계수를 구하여라.

**14** $\left(x+\dfrac{1}{x}+1\right)^6$의 전개식에서 $x^5$의 계수를 구하여라.

### 학교시험 필수예제

**15** $(4x^2+2x-1)^5$의 전개식에서 $x^3$의 계수를 구하여라.

# 06 파스칼의 삼각형

$n=0, 1, 2, 3, 4, \cdots$일 때, $(a+b)^n$의 전개식의 이항계수를 차례대로 다음과 같이 배열한 것을 파스칼의 삼각형이라고 한다.

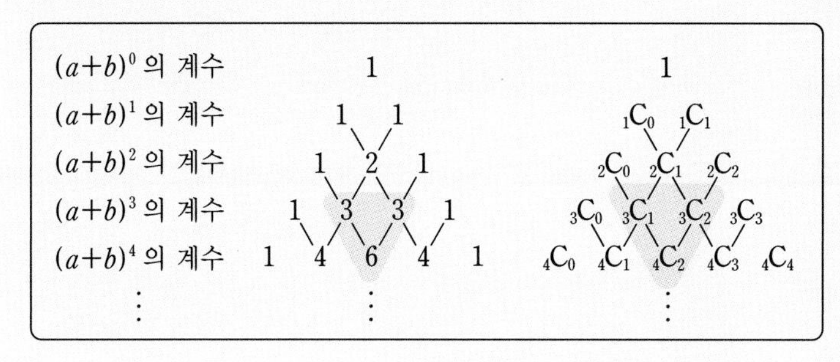


- ${}_nC_r={}_nC_{n-r}$이므로 파스칼의 삼각형에서 각 단계의 배열은 좌우 대칭이다.
- ${}_{n-1}C_{r-1}+{}_{n-1}C_r={}_nC_r$이므로 각 단계에서 이웃하는 두 수의 합은 그 두 수의 아래 중앙에 있는 수와 같다.

## 유형 020 파스칼의 삼각형

※ [01~05] 다음을 ${}_nC_r$의 꼴로 나타내어라.

**01** ${}_7C_2+{}_7C_3$

**02** ${}_4C_3+{}_4C_4$

**03** ${}_5C_2+{}_5C_3+{}_6C_2$

**04** ${}_3C_2+{}_3C_1+{}_4C_1+{}_5C_1$

**05** ${}_2C_0+{}_2C_1+{}_3C_2+{}_4C_3$

※ [06~07] 파스칼의 삼각형을 이용하여 다음 식의 값을 구하여라.

**06** ${}_3C_3+{}_4C_3+{}_5C_3+{}_6C_3$

**07** ${}_4C_1+{}_5C_2+{}_6C_3+{}_7C_4$

## 학교시험 필수예제

**08** 오른쪽과 같은 파스칼의 삼각형을 이용하여 ${}_2C_0+{}_3C_1+{}_4C_2+\cdots+{}_{10}C_8$의 값과 같은 것을 고르면?

${}_1C_0$ ${}_1C_1$
${}_2C_0$ ${}_2C_1$ ${}_2C_2$
${}_3C_0$ ${}_3C_1$ ${}_3C_2$ ${}_3C_3$
${}_4C_0$ ${}_4C_1$ ${}_4C_2$ ${}_4C_3$ ${}_4C_4$
⋮

① ${}_{10}C_6$　② ${}_{10}C_7$
③ ${}_{11}C_6$　④ ${}_{11}C_7$
⑤ ${}_{11}C_8$

# 07 이항계수의 성질

빠른정답 02쪽 / 친절한 해설 12쪽

이항정리를 이용하여 다항식 $(1+x)^n$을 전개하면

$(1+x)^n = {}_nC_0 + {}_nC_1x + {}_nC_2x^2 + \cdots + {}_nC_nx^n$

이를 이용하여 다음과 같은 이항계수의 성질을 구할 수 있다.

(1) ${}_nC_0 + {}_nC_1 + {}_nC_2 + \cdots + {}_nC_n = 2^n$

(2) ${}_nC_0 - {}_nC_1 + {}_nC_2 - \cdots + (-1)^n {}_nC_n = 0$

(3) ${}_nC_0 + {}_nC_2 + {}_nC_4 + \cdots = 2^{n-1}$

${}_nC_1 + {}_nC_3 + {}_nC_5 + \cdots = 2^{n-1}$

• $(1+x)^n$
$= {}_nC_0 + {}_nC_1x + {}_nC_2x^2 \cdots + {}_nC_nx^n$
에서 양변에 $x=1$을 대입하면
$2^n = {}_nC_0 + {}_nC_1 + {}_nC_2 \cdots + {}_nC_n$
양변에 $x=-1$을 대입하면
$0 = {}_nC_0 - {}_nC_1 + {}_nC_2 - \cdots + (-1)^n {}_nC_n$

## 유형 021 이항계수의 성질

※ [01~03] 다음을 구하여라.

**01** ${}_4C_0 + {}_4C_1 + {}_4C_2 + {}_4C_3 + {}_4C_4$

**02** ${}_{10}C_0 + {}_{10}C_1 + {}_{10}C_2 + \cdots + {}_{10}C_{10}$

**03** ${}_6C_1 + {}_6C_2 + {}_6C_3 + \cdots + {}_6C_6$

※ [04~05] 다음 식을 만족시키는 자연수 $n$의 값을 구하여라.

**04** ${}_nC_0 + {}_nC_1 + {}_nC_2 + \cdots + {}_nC_n = 128$

**05** ${}_nC_1 + {}_nC_2 + {}_nC_3 + \cdots + {}_nC_n = 255$

※ [06~08] 다음을 구하여라.

**06** ${}_9C_1 + {}_9C_3 + {}_9C_5 + {}_9C_7 + {}_9C_9$

**07** ${}_{12}C_0 + {}_{12}C_2 + {}_{12}C_4 + \cdots + {}_{12}C_{12}$

**08** ${}_{10}C_1 - {}_{10}C_2 + {}_{10}C_3 - {}_{10}C_4 + \cdots + {}_{10}C_9$

## 학교시험 필수예제

**09** 부등식 $1000 < {}_nC_1 + {}_nC_2 + {}_nC_3 + \cdots + {}_nC_n < 2000$을 만족시키는 자연수 $n$의 값을 구하여라.

# Ⅰ. 순열과 조합

## 1. 순열

(1) 순열 : 서로 다른 $n$개에서 $r$ $(0<r\le n)$개를 택하여 일렬로 나열하는 것을 $n$개에서 $r$개를 택하는 순열이라 하고, 이 순열의 수를 기호로 ❶ 와 같이 나타낸다.

(2) 순열의 수 : 서로 다른 $n$개에서 $r$개를 택하는 순열의 수는
$_{n}\mathrm{P}_{r}=n(n-1)(n-2)\cdots(n-r+1)$ (단, $0<r\le n$)

① $_{n}\mathrm{P}_{r}=\frac{n!}{(n-r)!}$ (단, $0<r\le n$)

② $0!=1$, $_{n}\mathrm{P}_{0}=$ ❷ , $_{n}\mathrm{P}_{n}=$ ❸

- 서로 다른 $n$개에서 $r$ $(0<r\le n)$개를 택하는 순열에서 첫 번째, 두 번째, 세 번째, …, $r$번째 자리에 올 수 있는 것은 각각 $n$, $n-1$, $n-2$, …, $n-r+1$가지이므로 곱의 법칙에 의하여 $_{n}\mathrm{P}_{r}=n(n-1)(n-2)\cdots(n-r+1)$

## 2. 원순열

(1) 원순열 : 서로 다른 것을 원형으로 배열하는 순열

(2) 원순열의 수 : 서로 다른 $n$개를 원형으로 배열하는 원순열의 수는 $\frac{n!}{n}=$ ❹

(3) 다각형 모양의 탁자에 둘러앉는 방법의 수는
(원순열의 수)×(회전시켰을 때 겹쳐지지 않는 자리의 수)

- 서로 다른 $n$개에서 $r$개를 택한 후 원형으로 배열하는 원순열의 수는 $\frac{_{n}\mathrm{P}_{r}}{r}$

## 3. 중복순열

(1) 중복순열 : 중복을 허용하여 만든 순열을 중복순열이라 하고, 서로 다른 $n$개에서 중복을 허용하여 $r$개를 택하는 중복순열의 수를 기호로 ❺ 와 같이 나타낸다.

(2) 중복순열의 수 : 서로 다른 $n$개에서 $r$개를 택하는 중복순열의 수는
$_{n}\Pi_{r}=n\times n\times\cdots\times n=$ ❻

- $_{n}\mathrm{P}_{r}$에서는 $0\le r\le n$이어야 하지만 $_{n}\Pi_{r}$에서는 $r>n$일 수도 있다.

## 4. 같은 것이 있는 순열

$n$개 중에서 같은 것이 각각 $p$개, $q$개, …, $r$개씩 있을 때, $n$개를 일렬로 나열하는 순열의 수는
$\frac{n!}{p!q!\cdots r!}$ (단, $p+q+\cdots+r=n$)

- 같은 문자를 포함한 여러 개의 문자를 일렬로 나열하는 방법의 수를 구할 때는 같은 것이 있는 순열을 이용한다.

❶ $_{n}\mathrm{P}_{r}$ ❷ 1 ❸ $n!$ ❹ $(n-1)!$ ❺ $_{n}\Pi_{r}$ ❻ $n^{r}$

## 기본 개념 Check

### 5. 조합

(1) 조합 : 서로 다른 $n$개에서 순서를 생각하지 않고 $r(0<r\le n)$개를 택하는 것을 $n$개에서 $r$개를 택하는 조합이라 하고, 이 조합의 수를 기호로 ❼ ______ 와 같이 나타낸다.

(2) 조합의 수

① ${}_nC_r=\dfrac{{}_nP_r}{r!}=\dfrac{n!}{r!(n-r)!}$ (단, $0\le r\le n$)

② ${}_nC_0=$ ❽ ______, ${}_nC_n=$ ❾ ______

③ ${}_nC_r={}_nC_{n-r}$ (단, $0\le r\le n$)

④ ${}_nC_r={}_{n-1}C_r+{}_{n-1}C_{r-1}$ (단, $1\le r\le n$)

**개념 window**

• 서로 다른 $n$개에서 $r$개를 택하는 조합의 수는 ${}_nC_r$이고, 그 각각에 대하여 $r$개를 일렬로 나열하는 방법의 수는 $r!$이다. 그런데 서로 다른 $n$개에서 $r$개를 택하는 순열의 수는 ${}_nP_r$이므로

${}_nC_r\cdot r!={}_nP_r \quad \therefore {}_nC_r=\dfrac{{}_nP_r}{r!}$

### 6. 중복조합

(1) 중복조합 : 중복을 허용하여 만든 조합을 중복조합이라 하고, 서로 다른 $n$개에서 중복을 허용하여 $r$개를 택하는 중복조합의 수를 기호로 ❿ ______ 와 같이 나타낸다.

(2) 중복조합의 수 : 서로 다른 $n$개에서 $r$개를 택하는 중복조합의 수는 ${}_nH_r={}_{n+r-1}C_r$

(3) 방정식 $x+y+z=n$ ($n$은 자연수)에서 $x$, $y$, $z$가

① 모두 음이 아닌 정수인 해의 개수 : ${}_3H_n$

② 모두 양의 정수인 해의 개수 : ${}_3H_{n-3}$ (단, $n\ge3$)

(4) $(x+y+z)^n$의 전개식의 서로 다른 항의 개수는

${}_3H_n$

• ${}_nC_r$에서는 $0\le r\le n$이어야 하지만 ${}_nH_r$에서는 중복하여 택할 수 있기 때문에 $r>n$일 수도 있다.

### 7. 이항정리

(1) $n$이 자연수일 때, $(a+b)^n$의 전개식은 다음과 같고, 이것을 이항정리라고 한다.

$(a+b)^n={}_nC_0a^n+{}_nC_1a^{n-1}b+\cdots+{}_nC_ra^{n-r}b^r+\cdots+{}_nC_nb^n=\sum_{r=0}^{n}{}_nC_ra^{n-r}b^r$

이때 각 항의 계수 ${}_nC_0$, ${}_nC_1$, $\cdots$, ${}_nC_r$, $\cdots$, ${}_nC_n$을 ⓫ ______ 라 하고, ${}_nC_ra^{n-r}b^r$을 $(a+b)^n$의 전개식의 ⓬ ______ 이라고 한다.

(2) 다항정리 : $n$이 자연수일 때, $(a+b+c)^n$의 전개식의 일반항은

$\dfrac{n!}{p!q!r!}a^pb^qc^r$ (단, $p+q+r=n$이고, $p\ge0$, $q\ge0$, $r\ge0$인 정수)

• ${}_nC_r={}_nC_{n-r}$이므로 $(a+b)^n$의 전개식에서

($a^{n-r}b^r$의 계수)

$=$($a^rb^{n-r}$의 계수)

❼ ${}_nC_r$ ❽ 1 ❾ 1 ❿ ${}_nH_r$ ⓫ 이항계수 ⓬ 일반항

## 8. 파스칼의 삼각형

$n=0, 1, 2, 3, 4, \cdots$일 때, $(a+b)^n$의 전개식의 이항계수를 차례대로 다음과 같이 배열한 것을 파스칼의 삼각형이라고 한다.

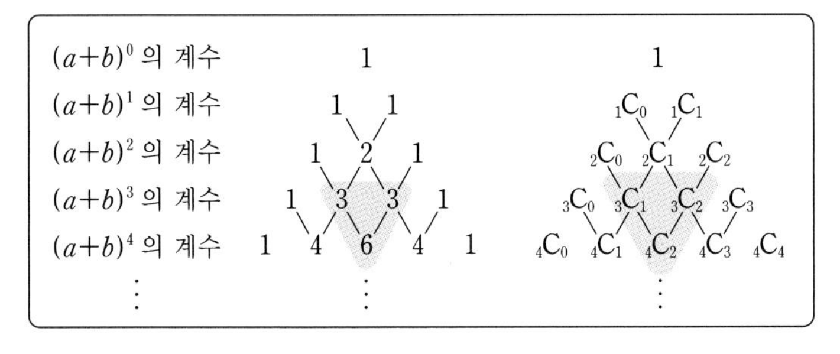

- ${}_nC_r={}_nC_{n-r}$이므로 파스칼의 삼각형에서 각 단계의 배열은 좌우 대칭이다.
- ${}_{n-1}C_{r-1}+{}_{n-1}C_r={}_nC_r$이므로 각 단계에서 이웃하는 두 수의 합은 그 두 수의 아래 중앙에 있는 수와 같다.

## 9. 이항계수의 성질

이항정리를 이용하여 다항식 $(1+x)^n$을 전개하면

$$(1+x)^n={}_nC_0+{}_nC_1x+{}_nC_2x^2+\cdots+{}_nC_nx^n$$

이를 이용하여 다음과 같은 이항계수의 성질을 구할 수 있다.

(1) ${}_nC_0+{}_nC_1+{}_nC_2+\cdots+{}_nC_n=2^n$

(2) ${}_nC_0-{}_nC_1+{}_nC_2-\cdots+(-1)^n{}_nC_n=0$

(3) ${}_nC_0+{}_nC_2+{}_nC_4+\cdots=2^{n-1}$
${}_nC_1+{}_nC_3+{}_nC_5+\cdots=2^{n-1}$

- $(1+x)^n$
$={}_nC_0+{}_nC_1x+{}_nC_2x^2\cdots+{}_nC_nx^n$
에서 양변에 $x=1$을 대입하면
$2^n={}_nC_0+{}_nC_1+{}_nC_2\cdots+{}_nC_n$
양변에 $x=-1$을 대입하면
$0={}_nC_0-{}_nC_1+{}_nC_2-\cdots$
$+(-1)^n{}_nC_n$

윷

윷놀이에서 윷이 나올 확률은 시행 횟수를 크게 하면 알 수 있음.

교통 상황

도로의 교통 상황은 확률과 과거의 자료를 토대로 예측할 수 있음.

독립시행의 확률

타율이 3할인 야구 선수가 각 타석마다 안타를 칠 확률은 일정함.

# 어떻게?

## 몬티 홀 문제(Monty Hall problem)를 쉽게 해결할 수 있을까?

### 그 답은 바로 조건부확률을 이용하여 확률을 구한다.!

몬티 홀 문제(Monty Hall problem)는 미국의 한 방송 프로그램인 "Let's Make a Deal"에서 유래한 것이다. 그 이름은 이 게임 쇼의 진행자 몬티 홀의 이름에서 따온 것이다. 문제의 내용은 다음과 같다.

출연자 앞에 세 개의 문이 있고, 출연자는 세 개의 문 중에서 하나를 선택하여 문 뒤에 있는 선물을 가질 수 있게 된다. 하나의 문 뒤에는 자동차가 있고, 나머지 두 개의 문 뒤에는 염소가 있다.

이때 출연자가 하나의 문을  선택했다고 하자.

진행자는 나머지 두 개의 문 중에서 염소가 있는 문을 열어 보여주고 출연자에게 처음 선택한 문을 바꿀 수 있는 기회를 준다고 할 때, 출연자는 어떤 선택을 하는 것이 유리할까?

출연자가 처음 선택한 문에서 자동차가 나올 확률은 다른 문에 염소가 있다는 것을 보든 안 보든 $\frac{1}{3}$이므로 출연자가 처음 선택했던 문을 그대로 고수한다면 자동차를 갖게 될 확률은 $\frac{1}{3}$이다.

그러나 주어진 하나의 상황에서 모든 확률을 더한 값은 항상 1이어야 하므로 출연자가 다른 문으로 선택을 바꾸었을 때 그곳에 자동차가 있을 확률은 $\frac{2}{3}$가 된다. 즉, 출연자가 선택을 바꾸면 자동차를 가질 확률이 더 높아진다.

이러한 몬티홀 문제의 확률은 조건부확률을 이용하여 구하면 더 명확하게 이해할 수 있다.

# Ⅱ 확률

## 학습목표

01 통계적 확률과 수학적 확률의 의미를 이해한다.
02 확률의 기본 성질과 덧셈정리를 이해하고, 여사건의 확률의 뜻을 안다.
03 조건부확률과 확률의 곱셈정리를 이해하고, 이를 활용할 수 있다.
04 사건의 독립과 종속의 의미를 이해하고, 이를 설명할 수 있다.

# 01 시행과 사건

1. **시행** : 같은 조건에서 반복할 수 있고 그 결과가 우연에 의하여 결정되는 실험이나 관찰
2. **표본공간** : 어느 시행에서 일어날 수 있는 모든 결과의 집합
3. **사건** : 시행의 결과, 즉 표본공간의 부분집합
4. 표본공간 $S$의 두 사건 $A$, $B$에 대하여
   ① 합사건 : $A$ 또는 B가 일어나는 사건, 기호로 $A\cup B$
   ② 곱사건 : $A$와 $B$가 동시에 일어나는 사건, 기호로 $A\cap B$
   ③ 배반사건 : A와 B가 동시에 일어나지 않을 때, 즉 $A\cap B=\varnothing$일 때, $A$와 $B$는 서로 배반사건이라고 한다.
   ④ 여사건 : $A$가 일어나지 않는 사건, 기호로 $A^C$

- 표본공간은 공집합이 아닌 경우만 생각한다.
- 전사건 : 어떤 시행에서 반드시 일어나는 사건, 즉 표본공간
- 공사건 : 어떤 시행에서 절대로 일어나지 않는 사건, 즉 공집합

## 유형 022 시행과 사건

**※ [01~04] 한 개의 주사위를 한 번 던지는 시행에서 다음을 구하여라.**

**01** 표본공간

**02** 짝수의 눈이 나오는 사건

**03** 소수의 눈이 나오는 사건

**04** 6의 약수의 눈이 나오는 사건

**※ [05~08] 1부터 10까지 자연수가 각각 하나씩 적힌 10장의 카드에서 임의로 한 장의 카드를 뽑는 시행에서 다음을 구하여라.**

**05** 표본공간

**06** 홀수가 적힌 카드가 나오는 사건

**07** 3의 배수가 적힌 카드가 나오는 사건

**08** 10의 약수가 적힌 카드가 나오는 사건

## 유형 023 배반사건과 여사건

※ [09~12] 한 개의 주사위를 던지는 시행에서 홀수의 눈이 나오는 사건을 $A$, 소수의 눈이 나오는 사건을 $B$라고 할 때, 다음 사건을 집합으로 나타내어라.

**09** $A \cup B$

**10** $A \cap B$

**11** $A^C$

**12** $(A \cap B)^C$

※ [13~16] 1에서 15까지의 자연수가 각각 하나씩 적힌 15장의 카드에서 임의로 한 장의 카드를 뽑을 때, 2의 배수가 나오는 사건을 $A$, 5의 배수가 나오는 사건을 $B$라고 하자. 다음을 구하여라.

**13** $A \cup B$

**14** $A \cap B$

**15** $A^C$

**16** $A^C \cap B^C$

※ [17~18] 한 개의 동전을 세 번 던질 때, 뒷면이 모두 나오는 사건을 $A$, 앞면이 한 번 나오는 사건을 $B$, 앞면이 적어도 한 번 나오는 사건을 $C$라고 하자. 다음 물음에 답하여라.

**17** $A$, $B$, $C$ 중에서 서로 배반사건인 두 사건을 모두 구하여라.

**18** $B$와 배반인 사건의 개수를 구하여라.

## 학교시험 필수예제

**19** 표본공간 $S=\{1, 2, 3, 4, 5, 6, 7\}$에 대하여 사건 $A$, $B$가 $A=\{1, 2, 6\}$, $B=\{2, 3, 4\}$일 때, 사건 $A$, $B$와 모두 배반인 사건의 개수를 구하여라.

# 02 수학적 확률과 통계적 확률

1. **확률** : 어떤 시행에서 사건 $A$가 일어날 가능성을 수로 나타낸 것을 사건 $A$의 확률이라 하고, 기호로 $\mathrm{P}(A)$와 같이 나타낸다.
2. **수학적 확률** : 표본공간이 $S$인 어떤 시행에서 각 결과가 일어날 가능성이 모두 같은 정도로 기대될 때, 사건 $A$가 일어날 확률 $\mathrm{P}(A)$는

$$\mathrm{P}(A)=\frac{n(A)}{n(S)}=\frac{(\text{사건 } A\text{가 일어나는 경우의 수})}{(\text{일어날 수 있는 모든 경우의 수})}$$

이다. 이와 같이 정의한 확률을 수학적 확률이라고 한다.
3. **통계적 확률** : 같은 시행을 $n$번 반복하여 사건 $A$가 일어난 횟수를 $r_n$이라 하면 시행 횟수 $n$이 한없이 커짐에 따라 그 상대도수 $\frac{r_n}{n}$이 일정한 값 $p$에 가까워질 때, 이 값 $p$를 사건 $A$의 통계적 확률이라고 한다.

- $\mathrm{P}(A)$의 P는 확률을 뜻하는 probability의 첫 글자이다.
- 기하학적 확률 : 연속적인 변량을 크기로 갖는 표본공간의 영역 $S$ 안에서 각각의 점을 택할 가능성이 같은 정도로 기대될 때, 영역 $S$에 포함되어 있는 영역 $A$에 대하여 영역 $S$에서 임의로 택한 점이 영역 $A$에 속할 확률은

$$\mathrm{P}(A)=\frac{(\text{영역 } A\text{의 크기})}{(\text{영역 } S\text{의 크기})}$$

## 유형 024 수학적 확률

**※ [01~04] 서로 다른 두 개의 주사위를 동시에 던질 때, 다음을 구하여라.**

**01** 두 눈의 수가 같을 확률

**02** 두 눈의 수의 곱이 12의 배수일 확률

**03** 두 눈의 수의 곱이 짝수가 될 확률

**04** 두 눈의 수의 합이 4 이하일 확률

**05** 서로 다른 3개의 동전을 동시에 던질 때, 앞면이 한 개만 나올 확률을 구하여라.

**06** 동전 1개와 주사위 1개를 동시에 던질 때, 동전은 앞면이 나오고, 주사위의 눈은 소수가 나올 확률을 구하여라.

### 학교시험 필수예제

**07** 서로 다른 두 개의 주사위를 동시에 던질 때, 나오는 두 눈의 수의 합이 8이 될 확률을 $a$, 두 눈의 수의 차가 1이 될 확률을 $b$라고 하자. 이때 $a+b$의 값을 구하여라.

## 유형 025 순열을 이용하는 확률

※ [08~10] A, B, C, D, E의 5명의 학생이 일렬로 앉을 때, 다음을 구하여라.

**08** A, B가 이웃하여 앉을 확률

**09** C, E가 이웃하지 않게 앉을 확률

**10** A, D가 양 끝에 앉을 확률

※ [11~12] 남학생 3명, 여학생 3명이 원탁에 둘러앉을 때, 다음을 구하여라.

**11** 남학생은 남학생끼리, 여학생은 여학생끼리 앉을 확률

**12** 남학생과 여학생이 번갈아 가며 앉을 확률

※ [13~14] 3개의 숫자 1, 2, 3에서 중복을 허용하여 네 자리 자연수를 만들 때, 다음을 구하여라.

**13** 짝수일 확률

**14** 각 자리의 숫자가 모두 홀수일 확률

※ [15~16] 7개의 문자 S, T, U, D, E, N, T를 일렬로 나열할 때, 다음을 구하여라.

**15** 모음끼리 이웃할 확률

**16** 양 끝에 모음이 올 확률

### 학교시험 필수예제

**17** 6개의 숫자 1, 2, 2, 2, 3, 3을 일렬로 나열할 때, 맨 끝에 2가 올 확률을 구하여라.

## 유형 026 조합을 이용하는 확률

**※ [18~20] A, B, C, D, E, F의 6명의 학생 중에서 2명의 대표를 뽑을 때, 다음을 구하여라.**

**18** C가 포함될 확률

**19** B가 포함되지 않을 확률

**20** E는 포함되고, A는 포함되지 않을 확률

**※ [21~22] 농구공 3개, 축구공 3개, 배구공 2개가 들어 있는 자루 속에서 3개의 공을 꺼낼 때, 다음을 구하여라.**

**21** 꺼낸 공이 모두 농구공일 확률

**22** 꺼낸 공 중에서 축구공이 2개 포함될 확률

**23** 남학생 4명, 여학생 6명 중에서 남학생 2명, 여학생 3명을 뽑아서 일렬로 세울 때, 남자끼리 이웃할 확률을 구하여라.

**24** 오른쪽 그림과 같이 평행한 두 직선 $l$, $m$ 위에 각각 4개, 3개의 점이 있다. 이 중에서 3개의 점을 뽑을 때, 삼각형이 될 확률을 구하여라.

$l$

$m$

**25** 같은 모양의 야구공 8개를 서로 다른 3개의 바구니에 넣으려고 할 때, 모든 바구니에 야구공이 들어갈 확률을 구하여라.

### 학교시험 필수예제

**26** 2, 3, 4, 5, 6의 숫자가 각각 하나씩 적힌 5개의 공이 들어 있는 상자에서 임의로 3개의 공을 동시에 꺼낼 때, 공에 적힌 숫자의 합이 짝수가 될 확률을 구하여라.

유형 027 통계적 확률

**27** 어떤 장난감 공장에서 1000개당 10개꼴로 불량품이 나온다고 한다. 이 공장에서 생산된 장난감에 대하여 품질 검사를 할 때, 불량품이 있을 확률을 구하여라.

**28** 한 개의 윷짝을 500번 던져서 평평한 면이 280번 나왔다고 할 때, 이 윷짝을 한 번 던져서 평평한 면이 나올 확률을 구하여라.

※ [29~30] 다음 표는 어느 프로야구 선수가 지난 시즌 동안 안타를 친 기록이다. 다음을 구하여라.

| 1루타 | 2루타 | 3루타 | 홈런 | 타수 |
|---|---|---|---|---|
| 52 | 17 | 3 | 15 | 250 |

**29** 이 선수가 타석에 들어서서 홈런을 칠 확률

**30** 이 선수가 타석에 들어서서 2루타 또는 3루타를 칠 확률

**31** 어느 농구 선수는 100번의 슛 시도에서 65번을 성공한다고 한다. 이 선수가 한 번의 슛 시도를 할 때, 성공할 확률을 구하여라.

**32** 주머니 속에 흰 구슬 3개, 파란 구슬 3개, 검은 구슬 $n$개가 들어 있다. 이 주머니에서 임의로 한 개의 구슬을 꺼내어 색을 확인하고 다시 넣는 시행을 1000번 반복했더니 그중 파란 구슬이 150번 나왔다. 이때 $n$의 값을 구하여라.

학교시험 필수예제

**33** 흰 바둑돌과 검은 바둑돌을 합하여 모두 10개의 바둑돌이 들어 있는 주머니에서 2개를 동시에 꺼내 보고 다시 넣는 시행을 여러 번 반복하였더니 3번에 1번 꼴로 2개가 모두 흰 바둑돌이었다. 이 주머니 속에는 몇 개의 흰 바둑돌이 들어 있다고 볼 수 있는지 구하여라.

## 유형 028 기하학적 확률

**34** 오른쪽 그림과 같이 모두 같은 크기의 영역으로 나누어진 원 모양의 과녁판에 화살을 쏠 때, 화살이 색칠된 영역을 맞힐 확률을 구하여라. (단, 화살은 과녁을 벗어나지 않고, 경계선에 맞지 않는다.)

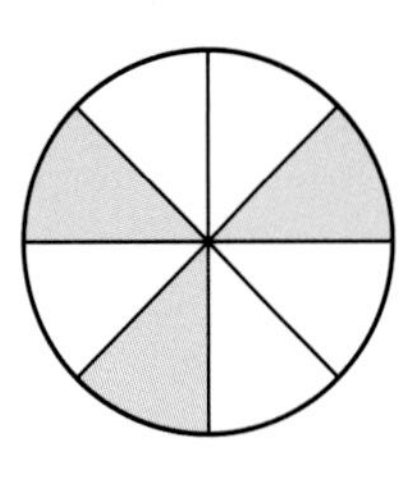

**35** 오른쪽 그림과 같이 9등분된 정사각형 모양의 과녁에 총을 쏠 때, 짝수가 적힌 영역을 맞힐 확률을 구하여라. (단, 총알은 과녁을 벗어나지 않고, 경계선에 맞지 않는다.)

| 1 | 2 | 3 |
|---|---|---|
| 4 | 5 | 6 |
| 7 | 8 | 9 |

**36** 오른쪽 그림과 같이 반지름의 길이가 각각 2, 3, 4이고 중심이 같은 세 원으로 이루어진 과녁에 총을 쏠 때, 색칠한 부분을 맞힐 확률을 구하여라. (단, 총알은 과녁을 벗어나지 않고, 경계선에 맞지 않는다.)

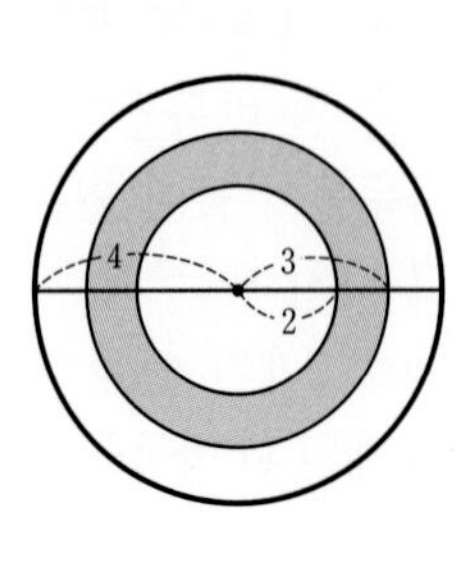


**37** 오른쪽 그림과 같이 한 변의 길이가 2인 정사각형 ABCD의 내부에 임의로 점 P를 잡을 때, 삼각형 PAB가 예각삼각형이 될 확률을 구하여라.

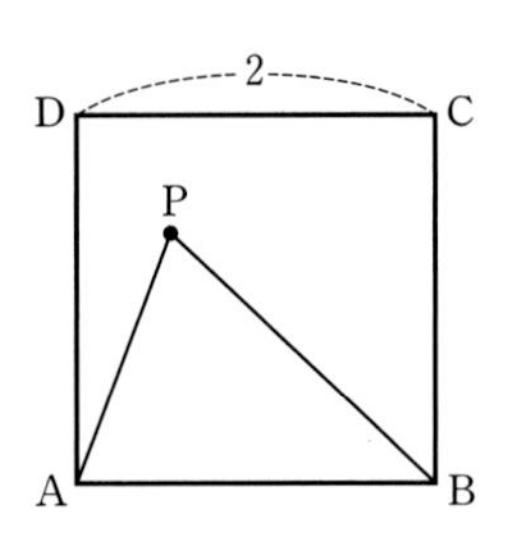


**38** $-3 \le a \le 4$일 때, $x$에 대한 이차방정식 $x^2+4ax+5a=0$이 실근을 가질 확률을 구하여라.

## 학교시험 필수예제

**39** 길이가 4인 선분 AB 위에 임의로 두 점 P, Q를 잡을 때, $\overline{PQ} \le 2$일 확률을 구하여라.

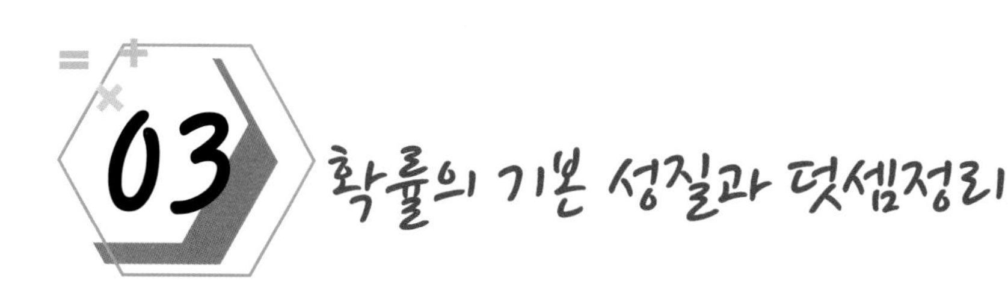

# 03 확률의 기본 성질과 덧셈정리

빠른정답 03쪽 / 친절한 해설 15쪽

**1. 확률의 기본 성질** : 표본공간이 $S$인 어떤 시행에서
① 임의의 사건 $A$에 대하여 $0 \le \mathrm{P}(A) \le 1$
② 반드시 일어나는 사건 $S$에 대하여 $\mathrm{P}(S)=1$
③ 절대로 일어나지 않는 사건 $\varnothing$에 대하여 $\mathrm{P}(\varnothing)=0$

**2. 확률의 덧셈정리** : 표본공간 S의 두 사건 $A$, $B$에 대하여
① $\mathrm{P}(A\cup B)=\mathrm{P}(A)+\mathrm{P}(B)-\mathrm{P}(A\cap B)$
② 두 사건 $A$, $B$가 배반사건이면 $\mathrm{P}(A\cup B)=\mathrm{P}(A)+\mathrm{P}(B)$

- 표본공간 $S$의 임의의 사건 $A$에 대하여 $\varnothing \subset A \subset S$이므로
$0 \le n(A) \le n(S)$,
$0 \le \dfrac{n(A)}{n(S)} \le 1$ $\therefore 0 \le \mathrm{P}(A) \le 1$
- 두 사건 $A$, $B$가 서로 배반사건이면 $A\cap B=\varnothing$이므로
$\mathrm{P}(A\cap B)=0$

## 유형 029 확률의 기본 성질

※ [01~04] 파란 공 4개와 빨간 공 5개가 들어 있는 주머니에서 임의로 한 개의 공을 꺼낼 때, 다음을 구하여라.

**01** 꺼낸 공이 파란 공일 확률

**02** 꺼낸 공이 빨간 공일 확률

**03** 꺼낸 공이 노란 공일 확률

**04** 꺼낸 공이 파란 공 또는 빨간 공일 확률

※ [05~08] 1부터 15까지의 자연수가 각각 하나씩 적힌 카드에서 임의로 한 장의 카드를 뽑을 때, 짝수가 적힌 카드를 뽑는 사건을 $A$, 홀수가 적힌 카드를 뽑는 사건을 $B$라고 하자. 다음을 구하여라.

**05** $\mathrm{P}(A)$

**06** $\mathrm{P}(B)$

**07** $\mathrm{P}(A\cup B)$

**08** $\mathrm{P}(A\cap B)$

## 유형 030 확률의 덧셈정리

※ [09~11] 두 사건 $A$, $B$에 대하여 다음을 구하여라.

**09** $\mathrm{P}(A)=\frac{2}{5}$, $\mathrm{P}(B)=\frac{1}{3}$, $\mathrm{P}(A\cap B)=\frac{1}{5}$일 때, $\mathrm{P}(A\cup B)$

**10** $\mathrm{P}(A)=\frac{1}{3}$, $\mathrm{P}(B)=\frac{3}{4}$, $\mathrm{P}(A\cup B)=\frac{5}{6}$일 때, $\mathrm{P}(A\cap B)$

**11** $\mathrm{P}(A)=\frac{1}{2}$, $\mathrm{P}(A\cap B)=\frac{1}{5}$, $\mathrm{P}(A\cup B)=\frac{7}{10}$일 때, $\mathrm{P}(B)$

**12** 두 사건 $A$, $B$가 배반사건이고, $\mathrm{P}(B)=\frac{1}{5}$, $\mathrm{P}(A\cup B)=1$일 때, $\mathrm{P}(A)$를 구하여라.

**13** 두 사건 $A$, $B$가 일어날 확률이 각각 0.5, 0.7이고, $A$ 또는 $B$가 일어날 확률이 1일 때, $A$, $B$가 동시에 일어날 확률을 구하여라.

※ [14~15] 1부터 30까지의 자연수가 각각 하나씩 적힌 30장의 카드에서 임의로 한 장의 카드를 꺼낼 때, 다음을 구하여라.

**14** 3의 배수 또는 5의 배수가 적힌 카드가 나올 확률

**15** 7의 배수 또는 13의 배수가 적힌 카드가 나올 확률

**16** 1부터 20까지의 자연수가 각각 하나씩 적힌 20개의 공에서 임의로 한 개의 공을 꺼낼 때, 공에 적힌 수가 5 이하이거나 10 이상일 확률을 구하여라.

**17** 흰 공 4개, 검은 공 3개가 들어 있는 상자에서 임의로 3개의 공을 동시에 꺼낼 때, 3개 모두 같은 색의 공이 나올 확률을 구하여라.

### 학교시험 필수예제

**18** 서로 다른 두 개의 주사위를 동시에 던져 나오는 눈의 수의 합이 3이거나 차가 3일 확률을 구하여라.

# 04 여사건의 확률

빠른정답 03쪽 / 친절한 해설 15쪽

사건 $A$의 여사건 $A^C$에 대하여

$P(A^C)=1-P(A)$

| 참고 | 사건 $A$와 그 여사건 $A^C$는 서로 배반사건이므로 확률의 덧셈정리에 의하여

$P(A\cup A^C)=P(A)+P(A^C)$

이때 $P(A\cup A^C)=1$이므로 $P(A^C)=1-P(A)$

• '적어도 ~인 사건', '~ 이상인 사건', '~ 이하인 사건' 등의 확률을 구할 때, 여사건의 확률을 이용하는 것이 편리하다.

## 유형 031 '적어도'의 조건이 있는 경우

**01** 한 개의 동전을 세 번 던질 때, 적어도 한 번은 뒷면이 나올 확률을 구하여라.

**※ [02~03] 흰 공 4개, 검은 공 3개가 들어 있는 주머니에서 임의로 2개의 공을 동시에 꺼낼 때, 다음을 구하여라.**

**02** 2개 모두 흰 공일 확률

**03** 적어도 한 개는 검은 공일 확률

**※ [04~05] 남학생 5명, 여학생 4명 중에서 임의로 대표 3명을 뽑을 때, 다음을 구하여라.**

**04** 대표가 모두 남학생일 확률

**05** 대표 중에서 적어도 한 명은 여학생일 확률

**06** 흰 양말 3켤레, 검은 양말 4켤레가 들어 있는 서랍에서 임의로 3켤레의 양말을 꺼낼 때, 적어도 1켤레가 흰 양말일 확률을 구하여라.

**07** 남자 2명과 여자 3명을 일렬로 앉힐 때, 적어도 한쪽 끝에는 남자를 앉힐 확률을 구하여라.

## 학교시험 필수예제

**08** 20개의 제비 중에 $n$개의 당첨 제비가 들어 있다. 이 중에서 임의로 2개의 제비를 뽑을 때, 적어도 1개가 당첨 제비일 확률은 $\frac{17}{38}$이다. 이때 $n$의 값을 구하여라.

**유형 032 '아닌', '이상', '이하'의 조건이 있는 경우**

**※ [09~12] 서로 다른 두 개의 주사위를 동시에 던질 때, 다음을 구하여라.**

**09** 나오는 두 눈의 수의 곱이 짝수일 확률

**10** 나오는 두 눈의 수가 서로 다를 확률

**11** 나오는 두 눈의 수의 합이 10 이하일 확률

**12** 나오는 두 눈의 수의 곱이 소수가 아닐 확률

**13** 1부터 50까지의 자연수가 각각 하나씩 적힌 50장의 카드에서 임의로 한 장의 카드를 뽑을 때, 카드에 적힌 수가 4의 배수가 아닐 확률을 구하여라.

**14** 흰 구슬 4개, 검은 구슬 5개가 들어 있는 주머니에서 임의로 3개의 구슬을 동시에 꺼낼 때, 검은 구슬이 2개 이하일 확률을 구하여라.

**15** 서로 다른 네 개의 동전을 던질 때, 뒷면이 2개 이상 나올 확률을 구하여라.

**16** 5개의 숫자 1, 2, 3, 4, 5에서 서로 다른 세 개를 이용하여 세 자리 정수를 만들 때, 230 이상일 확률을 구하여라.

**학교시험 필수예제**

**17** 파란 공 4개, 빨간 공 3개, 노란 공 5개가 들어 있는 상자에서 임의로 3개의 공을 꺼낼 때, 공의 색이 두 종류 이상일 확률을 구하여라.

# 조건부확률

1. **조건부확률** : 사건 $A$가 일어났다고 가정할 때 사건 $B$가 일어날 확률을 사건 $A$가 일어났을 때의 사건 $B$의 조건부확률이라 하고, 기호로 $\mathrm{P}(B|A)$와 같이 나타낸다.
2. 사건 $A$가 일어났을 때 사건 $B$의 조건부확률은

$$\mathrm{P}(B|A)=\frac{\mathrm{P}(A\cap B)}{P(A)} \text{ (단, } \mathrm{P}(A)>0)$$

• $\mathrm{P}(B|A)$는 $A$를 새로운 표본공간으로 생각하고, $A$에서 $A\cap B$가 일어날 확률을 뜻한다.

## 유형 033 조건부확률의 계산

※ [01~03] 한 개의 주사위를 한 번 던지는 시행에서 6의 약수의 눈이 나오는 사건을 $A$, 소수의 눈이 나오는 사건을 $B$라고 할 때, 다음을 구하여라.

**01** $\mathrm{P}(A\cap B)$

**02** $\mathrm{P}(A|B)$

**03** $\mathrm{P}(B|A)$

※ [04~05] 두 사건 $A$, $B$에 대하여 $\mathrm{P}(A)=\frac{1}{5}$, $\mathrm{P}(B)=\frac{2}{5}$, $\mathrm{P}(A\cup B)=\frac{1}{2}$일 때, 다음을 구하여라.

**04** $\mathrm{P}(A\cap B)$

**05** $\mathrm{P}(B|A)$

**06** 두 사건 $A$, $B$에 대하여 $\mathrm{P}(A)=0.4$, $\mathrm{P}(B)=0.7$, $\mathrm{P}(A^C\cap B^C)=0.2$일 때, $\mathrm{P}(B|A)$를 구하여라.

**07** 두 사건 $A$, $B$에 대하여 $\mathrm{P}(A)=\frac{1}{4}$, $\mathrm{P}(A\cup B)=\frac{5}{8}$일 때, $\mathrm{P}(B^C|A^C)$를 구하여라.

**08** 두 사건 $A$, $B$가 서로 배반사건이고 $\mathrm{P}(A)=\frac{1}{5}$, $\mathrm{P}(B)=\frac{2}{3}$일 때, $\mathrm{P}(A|B^C)$를 구하여라.

## 학교시험 필수예제

**09** 두 사건 $A$, $B$에 대하여 $\mathrm{P}(A)=\frac{1}{2}$, $\mathrm{P}(A\cap B)=\frac{1}{5}$, $\mathrm{P}(A\cup B)=\frac{7}{10}$일 때, $\mathrm{P}(A^C|B^C)$를 구하여라.

## 유형 034 조건부확률

**10** 100원짜리 동전 2개와 500원짜리 동전 1개를 동시에 던져 앞면이 1개가 나왔을 때, 그것이 500원짜리 동전일 확률을 구하여라.

**해설|** 앞면이 나오는 사건을 $A$, 500원짜리 동전의 앞면이 나오는 사건을 $B$라고 하면

$\mathrm{P}(A)=\square$, $\mathrm{P}(A\cap B)=\square$

$$\therefore \mathrm{P}(B|A)=\frac{\mathrm{P}(A\cap B)}{\mathrm{P}(A)}=\frac{\square}{\square}=\square$$

**11** 서로 다른 두 개의 주사위를 던져서 나온 눈의 수의 합이 6일 때, 그 두 주사위의 눈의 수가 모두 3일 확률을 구하여라.

**12** 50명의 학생 중에서 휴대전화를 보유한 학생 수는 40명이고, 이중 여학생이 15명이다. 이 학생들 중에서 임의로 뽑은 한 명이 휴대전화를 보유한 학생일 때, 그 학생이 여학생일 확률을 구하여라.

**13** 1, 2, 3, 4가 각각 하나씩 적힌 빨간색 카드 4장과 5, 6, 7, 8, 9가 각각 하나씩 적힌 파란색 카드 5장이 들어 있는 상자에서 임의로 한 장의 카드를 꺼냈다. 꺼낸 카드가 빨간색일 때, 이 카드에 적힌 숫자가 짝수일 확률을 구하여라.

**14** 어느 고등학교 학생들의 혈액형을 조사하였더니 B형인 학생이 전체의 60 %이었고, B형인 남학생은 전체의 40 %이었다. 이 고등학교 학생 중에서 임의로 뽑은 한 명이 B형일 때, 그 학생이 남학생일 확률을 구하여라.

**15** 다음 표는 어느 학급 학생 40명의 통학 수단을 조사하여 나타낸 것이다. 이 중에서 임의로 한 명을 뽑았더니 남학생이었을 때, 그 학생이 지하철로 통학하는 학생일 확률을 구하여라.

| | 남자 | 여자 |
|---|---|---|
| 지하철 | 14 | 10 |
| 버스 | 10 | 6 |
| 합계 | 24 | 16 |

## 학교시험 필수예제

**16** 10개의 제비 중에서 1등 당첨 제비가 1개, 2등 당첨 제비가 4개가 포함되어 있다. 이 중에서 임의로 2개의 제비를 동시에 뽑았더니 당첨 제비가 나왔을 때, 이 당첨 제비가 1등 당첨 제비일 확률을 구하여라.

빠른정답 03쪽 / 친절한 해설 17쪽

# 06 확률의 곱셈정리

1. **확률의 곱셈정리** : 두 사건 $A$, $B$에 대하여 조건부확률

$$P(B|A)=\frac{P(A\cap B)}{P(A)},\ P(A|B)=\frac{P(A\cap B)}{P(B)}$$

로부터 다음과 같은 확률의 곱셈정리를 얻는다.

두 사건 $A$, $B$에 대하여 $P(A)>0$, $P(B)>0$일 때,

$$P(A\cap B)=P(A)P(B|A)=P(B)P(A|B)$$

• $P(B|A)=\frac{P(A\cap B)}{P(A)}$의 양변에 $P(A)$를 곱하면 $P(A\cap B)=P(A)P(B|A)$

## 유형 035 확률의 곱셈정리

※ [01~04] 두 사건 $A$, $B$에 대하여 $P(A)=\frac{2}{5}$, $P(B)=\frac{1}{2}$, $P(B|A)=\frac{3}{10}$일 때, 다음을 구하여라.

**01** $P(A\cap B)$

**02** $P(A|B)$

**03** $P(A^C\cap B^C)$

**04** $P(B^C|A^C)$

※ [05~07] 10장의 제비 중에서 4개의 당첨 제비가 들어 있는 상자에서 갑과 을 두 사람이 갑, 을의 순서로 각각 1장씩 뽑을 때, 다음을 구하여라. (단, 뽑은 제비는 다시 넣지 않는다.)

**05** 갑이 당첨 제비를 뽑을 확률

**06** 갑, 을이 모두 당첨 제비를 뽑을 확률

**07** 을이 당첨 제비를 뽑을 확률

**08** 파란 상자에는 100원짜리 동전 3개, 500원짜리 동전 5개가 들어 있고, 빨간 상자에는 100원짜리 동전 5개, 500원짜리 동전 3개가 들어 있다. 한 상자를 임의로 택하여 동전 1개를 꺼낼 때, 그 동전이 빨간 상자에 있는 500원짜리 동전일 확률을 구하여라.

**09** 15개의 사탕 중에서 5개는 딸기 맛이고, 10개는 사과 맛이다. 갑과 을의 순서로 사탕을 한 개씩 먹을 때, 갑은 딸기 맛 사탕을 먹고, 을은 사과 맛 사탕을 먹을 확률을 구하여라.

**10** 빨간 공 6개, 파란 공 4개가 들어 있는 주머니에서 임의로 공을 한 개씩 2개의 공을 꺼낼 때, 2개 모두 빨간 공일 확률을 구하여라.

(단, 꺼낸 공은 다시 넣지 않는다.)

## 학교시험 필수예제

**11** 4개의 불량품을 포함하여 12개의 제품이 들어 있는 주머니에서 임의로 한 개씩 2개의 제품을 꺼낼 때, 두 개 모두 불량품이 아닐 확률을 구하여라.

(단, 꺼낸 제품은 다시 넣지 않는다.)

## 유형 036 조건부확률과 확률의 곱셈정리

**※ [12~13] 주머니 A에는 파란 공 3개, 노란 공 3개가 들어 있고, 주머니 B에는 파란 공 4개, 노란 공 2개가 들어 있다. 두 주머니 중에서 하나를 임의로 택하여 2개의 공을 꺼낼 때, 다음을 구하여라.**

**12** 파란 공 1개, 노란 공 1개가 나올 확률

**해설 |** 주머니 A를 택하는 사건을 $A$, 주머니 B를 택하는 사건을 $B$, 파란 공 1개, 노란 공 1개가 나오는 사건을 $E$라고 하면

(i) 주머니 $A$에서 파란 공 1개, 노란 공 1개가 나올 확률은 $\mathrm{P}(A\cap E)=\mathrm{P}(A)\mathrm{P}(E|A)=\square$

(ii) 주머니 B에서 파란 공 1개, 노란 공 1개가 나올 확률은 $\mathrm{P}(B\cap E)=\mathrm{P}(B)\mathrm{P}(E|B)=\square$

(i), (ii)는 서로 배반사건이므로 구하는 확률은

$\mathrm{P}(E)=\mathrm{P}(A\cap E)+\mathrm{P}(B\cap E)=\square$

**13** 나온 공이 파란 공 1개, 노란 공 1개일 때, 꺼낸 공 2개가 모두 주머니 A에서 나왔을 확률

**14** 어느 프로 야구팀은 이번 시즌에 치르는 경기의 20 %가 홈 경기이고, 홈 경기에서의 승률은 70 %, 원정 경기에서의 승률은 30 %이다. 이번 시즌의 어떤 경기에서 이 팀이 승리하였을 때, 그 경기가 홈 경기였을 확률을 구하여라.

빠른정답 04쪽 / 친절한 해설 18쪽

# 07 사건의 독립과 종속

1. **사건의 독립** : 사건 $A$가 일어나거나 일어나지 않는 것이 사건 $B$가 일어날 확률에 영향을 주지 않을 때, 즉
$$P(B|A)=P(B|A^{C})=P(B)$$
일 때, 두 사건 $A$와 $B$는 서로 독립이라고 한다.
2. **사건의 종속** : 두 사건 $A$, $B$가 서로 독립이 아닐 때, 즉
$$P(A|B)\neq P(A) \text{ 또는 } P(B|A)\neq P(B)$$
일 때, 두 사건 $A$와 $B$는 서로 종속이라고 한다.
3. **독립사건의 곱셈정리** : 두 사건 $A$와 $B$가 서로 독립이기 위한 필요충분조건은
$$P(A\cap B)=P(A)P(B) \text{ (단, } P(A)>0,\ P(B)>0)$$

- 두 사건 $A$, $B$가 서로 독립이면 $A$와 $B^{C}$, $A^{C}$와 $B$, $A^{C}$와 $B^{C}$도 각각 서로 독립이다.
- 두 사건 $A$, $B$가 서로 종속이면 사건 $A$가 일어나는 것이 사건 $B$가 일어날 확률에 영향을 미친다.

## 유형 037 사건의 독립과 종속의 판정

※ [01~03] 한 개의 주사위를 던져 5의 약수의 눈이 나오는 사건을 $A$, 3 이하의 눈이 나오는 사건을 $B$, 소수의 눈이 나오는 사건을 $C$라고 하자. 이때 다음 두 사건이 독립인지 종속인지 판별하여라.

**01** $A$와 $B$

**02** $A$와 $C$

**03** $B$와 $C$

※ [04~06] 1부터 10까지의 숫자가 각각 하나씩 적힌 10개의 공이 들어 있는 주머니에서 한 개의 공을 꺼낼 때, 5의 배수가 적힌 공이 나오는 사건을 $A$, 소수가 적힌 공이 나오는 사건을 $B$, 짝수가 적힌 공이 나오는 사건을 $C$라고 하자. 이때 다음 두 사건이 독립인지 종속인지 판별하여라.

**04** $A$와 $B$

**05** $A$와 $C$

**06** $B$와 $C$

## 유형 038 독립을 이용한 확률의 계산

**※ [07~09] 두 사건 $A$, $B$가 서로 독립이고,**
$$\mathrm{P}(A)=0.4,\ \mathrm{P}(B)=0.3$$
**일 때, 다음을 구하여라.**

**07** $\mathrm{P}(A\cap B)$

**08** $\mathrm{P}(A|B^C)$

**09** $\mathrm{P}(B^C|A^C)$

**10** 두 사건 $A$, $B$가 서로 독립이고,
$$\mathrm{P}(A)=0.5,\ \mathrm{P}(A\cap B)=0.2$$
일 때, $\mathrm{P}(A\cup B)$를 구하여라.

### 학교시험 필수예제

**11** 두 사건 $A$, $B$가 서로 독립이고,
$$\mathrm{P}(A)=0.6,\ \mathrm{P}(A^C\cap B^C)=0.2$$
일 때, $\mathrm{P}(B)$를 구하여라.

## 유형 039 독립과 종속의 성질

**※ [12~16] 두 사건 $A$, $B$가 서로 독립일 때, 참, 거짓을 판별하여라.**

**12** $A$와 $B^C$는 서로 독립이다.

**13** $A^C$와 $B^C$는 서로 독립이다.

**14** $\mathrm{P}(A|B)=\mathrm{P}(A|B^C)$

**15** $\mathrm{P}(A\cup B)=\mathrm{P}(A)+\mathrm{P}(B)$

**16** $\mathrm{P}(A|B^C)=1-\mathrm{P}(A^C|B)$

## 유형 040 독립인 사건의 곱셈정리

**※ [17~19] 갑, 을 두 사람이 어떤 문제에서 1번 문제의 정답을 맞힐 확률이 각각 $\frac{1}{5}$, $\frac{1}{4}$일 때, 다음을 구하여라.**

**17** 두 사람 모두 정답을 맞힐 확률

**18** 한 사람만 정답을 맞힐 확률

**19** 적어도 한 사람이 정답을 맞힐 확률

**20** 주사위 한 개와 동전 한 개를 던질 때, 주사위는 소수의 눈이 나오고, 동전은 앞면이 나올 확률을 구하여라.

**21** 명중률이 각각 0.6, 0.8인 두 사격 선수 A, B가 표적을 향해 한 발씩 쏠 때, A, B 모두 표적을 명중시킬 확률을 구하여라.

**22** 양궁 선수 A, B의 10점 명중률은 각각 0.9, 0.8이다. 두 선수 중에서 적어도 한 명이 10점에 명중할 확률을 구하여라.

**23** A와 B가 3번의 대결 중에서 2번을 이기면 승리하는 장기 게임을 한다. 매 경기마다 A가 B를 이길 확률이 $\frac{3}{5}$일 때, 3번의 대결에서 B가 승리할 확률을 구하여라. (단, 비기는 경우는 없다.)

## 학교시험 필수예제

**24** 어느 시험에서 갑, 을, 병이 합격할 확률이 각각 $\frac{4}{5}$, $\frac{3}{5}$, $\frac{1}{2}$일 때, 3명 중 2명만 합격할 확률을 구하여라.

1. **독립시행** : 어떤 시행을 반복할 때, 각 시행의 결과가 다른 시행의 결과에 아무런 영향을 주지 않는 경우, 즉 매회 일어나는 사건이 서로 독립인 경우에 이 시행을 독립시행이라고 한다.
2. **독립시행의 확률** : 어떤 시행에서 사건 $A$가 일어날 확률이 $p$일 때, 이 시행을 $n$회 반복하는 독립시행에서 사건 $A$가 $r$회 일어날 확률은
   $_{n}\mathrm{C}_{r}\,p^{r}(1-p)^{n-r}$ (단, $r=0, 1, 2, \cdots, n$)

• 독립시행에서는 각 시행에서 일어나는 사건이 모두 독립이므로 각 사건의 확률을 곱하여 확률을 계산할 수 있다.

## 유형 041 독립시행의 확률

**※ [01~02] 동전을 한 번 던지는 시행에서 앞면이 나오는 사건을 $A$라고 할 때, 다음을 구하여라.**

**01** $\mathrm{P}(A)$

**02** 동전을 5번 던지는 시행에서 사건 $A$가 2번 일어날 확률

**※ [03~05] 주사위를 한 번 던지는 시행에서 3의 배수의 눈이 나오는 사건을 $A$라고 할 때, 다음을 구하여라.**

**03** $\mathrm{P}(A)$

**04** 주사위를 3번 던지는 시행에서 사건 $A$가 2번 일어날 확률

**05** 주사위를 5번 던지는 시행에서 사건 $A$가 3번 일어날 확률

**06** 자유투 성공률이 $\frac{3}{4}$인 농구 선수가 자유투를 4번 던질 때, 3번 성공할 확률을 구하여라.

**07** 각 면에 1, 2, 3, 4가 각각 하나씩 적혀 있는 정사면체를 4번 던질 때, 숫자 3이 2번 나올 확률을 구하여라. (단, 바닥에 놓인 면에 적힌 숫자를 읽는다.)

**08** 정답이 한 개인 오지선다형 문제 3개에 임의로 답할 때, 1문제를 맞힐 확률을 구하여라.

**※ [09~10] 한 발을 쏘아서 명중시킬 확률이 $\frac{2}{3}$인 사격 선수가 4발을 쏠 때, 다음을 구하여라.**

**09** 3발 이상 명중시킬 확률

**10** 적어도 1발 이상 명중시킬 확률

**11** 한 개의 동전을 던져서 앞면이 나오면 주사위 한 개를 3번 던지고, 뒷면이 나오면 주사위 한 개를 2번 던진다. 이때 6의 눈이 2번 나올 확률을 구하여라.

## 학교시험 필수예제

**12** 프로야구 한국시리즈는 7번 경기를 해서 먼저 4번을 이기면 우승을 한다. 이길 확률이 같은 두 팀 A, B가 한국시리즈에서 맞붙게 되었을 때, 5번째 경기에서 A팀이 우승할 확률을 구하여라. (단, 비기는 경기는 없다.)

**13** 오른쪽 그림과 같이 한 변의 길이가 1인 정육각형의 변을 따라 시계 반대 방향으로 움직이는 점 P가 있다. 1개의 동전을 던져서 앞면이 나오면 2만큼, 뒷면이 나오면 1만큼 점 P를 움직인다. 동전을 4번 던질 때, 점 P가 처음 출발 위치로 돌아올 확률을 구하여라.

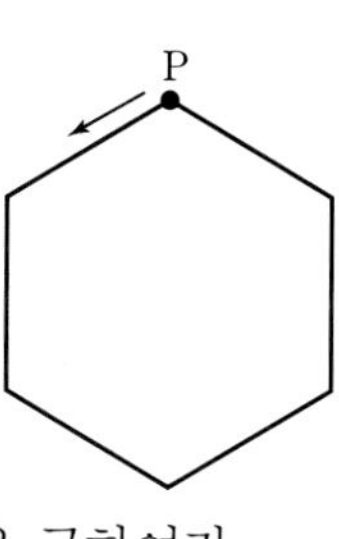


**14** 오른쪽 그림과 같은 도로망이 있다. 한 개의 주사위를 던져서 2의 배수의 눈이 나오면 각 교차점에서 동쪽으로 1칸, 그 이외의 눈이 나오면 북쪽으로 1칸을 움직인다. A 지점을 출발하여 주사위를 6번 던져서 B 지점에 도착할 확률을 구하여라.

**15** 다음 그림과 같이 수직선 위의 원점에 점 P가 있다. 한 개의 동전을 던져서 앞면이 나오면 점 P를 양의 방향으로 2만큼, 뒷면이 나오면 음의 방향으로 1만큼 움직인다. 동전을 6번 던질 때, 점 P가 −3의 위치에 있을 확률을 구하여라.

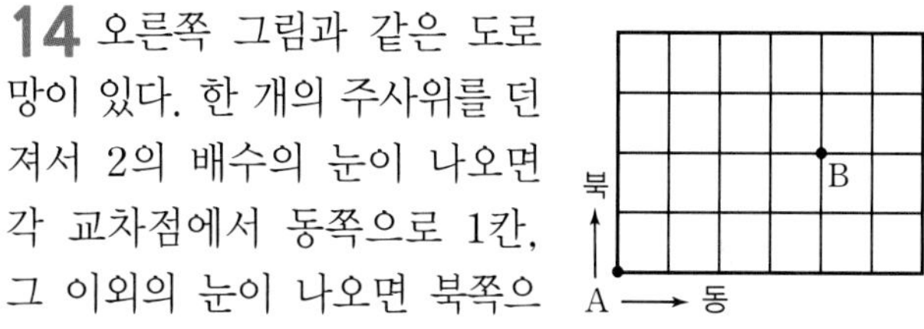


P
−5 −4 −3 −2 −1 0 1 2 3 4 5 $x$

# Ⅱ. 확률

## 1. 시행과 사건

(1) ❶ : 같은 조건에서 반복할 수 있고 그 결과가 우연에 의하여 결정되는 실험이나 관찰

(2) 표본공간 : 어느 시행에서 일어날 수 있는 모든 결과의 집합

(3) 사건 : 시행의 결과, 즉 표본공간의 부분집합

(4) 표본공간 $S$의 두 사건 $A$, $B$에 대하여

① 합사건 : $A$ 또는 $B$가 일어나는 사건, 기호로 ❷

② 곱사건 : $A$와 $B$가 동시에 일어나는 사건, 기호로 ❸

③ 배반사건 : $A$와 $B$가 동시에 일어나지 않을 때, 즉 $A\cap B=$ ❹ 일 때, A와 B는 서로 배반사건이라고 한다.

④ 여사건 : A가 일어나지 는 사건, 기호로 ❺

## 2. 수학적 확률과 통계적 확률

(1) 확률 : 어떤 시행에서 사건 $A$가 일어날 가능성을 수로 나타낸 것을 사건 $A$의 확률이라 하고, 기호로 $\mathrm{P}(A)$와 같이 나타낸다.

(2) 수학적 확률 : 표본공간이 $S$인 어떤 시행에서 각 결과가 일어날 가능성이 모두 같은 정도로 기대될 때, 사건 $A$가 일어날 확률 $\mathrm{P}(A)$는

$$\mathrm{P}(A)=\frac{n(A)}{n(S)}=\frac{(\text{사건 } A\text{가 일어나는 경우의 수})}{(\text{일어날 수 있는 모든 경우의 수})}$$

이와 같이 정의한 확률을 수학적 확률이라고 한다.

(3) 통계적 확률 : 같은 시행을 $n$번 반복하여 사건 $A$가 일어난 횟수를 $r_n$이라 하면 시행 횟수 $n$이 한없이 커짐에 따라 그 상대도수 ❻ 이 일정한 값 $p$에 가까워질 때, 이 값 $p$를 사건 A의 통계적 확률이라고 한다.

## 3. 확률의 기본 성질과 덧셈정리

(1) 확률의 기본 성질 : 표본공간이 $S$인 어떤 시행에서

① 임의의 사건 $A$에 대하여 $0\le \mathrm{P}(A)\le 1$

② 반드시 일어나는 사건 $S$에 대하여 $\mathrm{P}(S)=$ ❼

③ 절대로 일어나지 않는 사건 $\phi$에 대하여 $\mathrm{P}(\phi)=$ ❽

(2) 확률의 덧셈정리 : 표본공간 $S$의 두 사건 $A$, $B$에 대하여

① $\mathrm{P}(A\cup B)=\mathrm{P}(A)+\mathrm{P}(B)-\mathrm{P}(A\cap B)$

② 두 사건 $A$, $B$가 배반사건이면 $\mathrm{P}(A\cup B)=\mathrm{P}(A)+\mathrm{P}(B)$

**개념 window**

- 표본공간은 공집합이 아닌 경우만 생각한다.
- 전사건 : 어떤 시행에서 반드시 일어나는 사건, 즉 표본공간
- 공사건 : 어떤 시행에서 절대로 일어나지 않는 사건, 즉 공집합

- 기하학적 확률 : 연속적인 변량을 크기로 갖는 표본공간의 영역 $S$ 안에서 각각의 점을 택할 가능성이 같은 정도로 기대될 때, 영역 $S$에 포함되어 있는 영역 $A$에 대하여 영역 $S$에서 임의로 택한 점이 영역 $A$에 속할 확률은

$$\mathrm{P}(A)=\frac{(\text{영역 } A\text{의 크기})}{(\text{영역 } S\text{의 크기})}$$

- 표본공간 $S$의 임의의 사건 $A$에 대하여 $\phi\subset A\subset S$이므로 $0\le n(A)\le n(S)$, $0\le \frac{n(A)}{n(S)}\le 1$

$\therefore 0\le \mathrm{P}(A)\le 1$

- 두 사건 $A$, $B$가 서로 배반사건이면 $A\cap B=\phi$이므로 $\mathrm{P}(A\cap B)=0$

❶ 시행 ❷ $A\cup B$ ❸ $A\cap B$ ❹ $\phi$ ❺ $A^C$ ❻ $\frac{r_n}{n}$ ❼ 1 ❽ 0

## 4. 여사건의 확률

사건 $A$의 여사건 $A^C$에 대하여

$P(A^C)=1-P(A)$

## 5. 조건부확률

(1) 조건부확률 : 사건 $A$가 일어났다고 가정할 때 사건 $B$가 일어날 확률을 사건 $A$가 일어났을 때의 사건 $B$의 조건부확률이라 하고, 기호로 ⑨ ______ 와 같이 나타낸다.

(2) 사건 $A$가 일어났을 때 사건 $B$의 조건부확률은

$$P(B|A)=\frac{P(A \text{ ⑩ } B)}{P(\text{ ⑪ })} \quad (\text{단, } P(A)>0)$$

## 6. 확률의 곱셈정리

두 사건 $A$, $B$에 대하여 조건부확률

$$P(B|A)=\frac{P(A\cap B)}{P(A)},\ P(A|B)=\frac{P(A\cap B)}{P(B)}$$

로부터 다음과 같은 확률의 곱셈정리를 얻는다.

두 사건 $A$, $B$에 대하여 $P(A)>0$, $P(B)>0$일 때,

$$P(A\cap B)=P(A)P(\text{ ⑫ })=P(B)P(\text{ ⑬ })$$

## 7. 사건의 독립과 종속

(1) 사건의 독립 : 사건 $A$가 일어나거나 일어나지 않는 것이 사건 $B$가 일어날 확률에 영향을 주지 을 때, 즉

$$P(B|A)=P(B|A^C)=\text{ ⑭ }$$

일 때, 두 사건 $A$와 $B$는 서로 독립이라고 한다.

(2) 사건의 종속 : 두 사건 $A$, $B$가 서로 독립이 아닐 때, 즉

$P(A|B)\neq P(A)$ 또는 $P(B|A)\neq P(B)$

일 때, 두 사건 $A$와 $B$는 서로 종속이라고 한다.

(3) 독립사건의 곱셈정리 : 두 사건 $A$와 $B$가 서로 독립이기 위한 필요충분조건은

$$P(A\cap B)=\text{ ⑮ } \quad (\text{단, } P(A)>0,\ P(B)>0)$$

## 8. 독립시행의 확률

(1) 독립시행 : 어떤 시행을 반복할 때, 각 시행의 결과가 다른 시행의 결과에 아무런 영향을 주지 않는 경우, 즉 매회 일어나는 사건이 서로 ⑯ ______ 인 경우에 이 시행을 독립시행이라고 한다.

(2) 독립시행의 확률 : 어떤 시행에서 사건 $A$가 일어날 확률이 $p$일 때, 이 시행을 $n$회 반복하는 독립시행에서 사건 A가 $r$회 일어날 확률은

${}_nC_r p^r(1-p)^{n-r}$ (단, $r=0, 1, 2, \cdots, n$)

**개념 window**

- '적어도 ~인 사건', '~ 이상인 사건', '~ 이하인 사건' 등의 확률을 구할 때, 여사건의 확률을 이용하는 것이 편리하다.
- $P(B|A)$는 $A$를 새로운 표본공간으로 생각하고, $A$에서 $A\cap B$가 일어날 확률을 뜻한다.
- $P(B|A)=\frac{P(A\cap B)}{P(A)}$의 양변에 $P(A)$를 곱하면 $P(A\cap B)=P(A)P(B|A)$
- 두 사건 $A$, $B$가 서로 독립이면 $A$와 $B^C$, $A^C$와 $B$, $A^C$와 $B^C$도 각각 서로 독립이다.
- 두 사건 $A$, $B$가 서로 종속이면 사건 $A$가 일어나는 것이 사건 $B$가 일어날 확률에 영향을 미친다.
- 독립시행에서는 각 시행에서 일어나는 사건이 모두 독립이므로 각 사건의 확률을 곱하여 확률을 계산할 수 있다.

⑨ $P(B|A)$ ⑩ $\cap$ ⑪ $A$ ⑫ $B|A$ ⑬ $A|B$ ⑭ $P(B)$ ⑮ $P(A)P(B)$ ⑯ 독립

종

정규분포의 확률밀도함수의 그래프는 좌우 대칭인 종 모양임.

북극곰

북극곰의 개체 수는 통계적 방법을 사용하여 추정함.

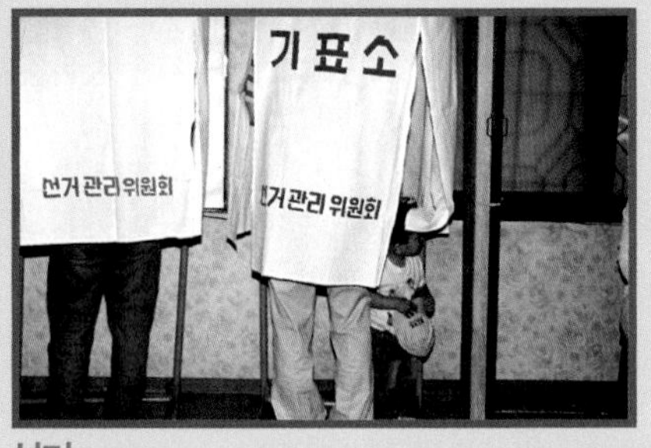


선거

선거에서는 유권자의 표본을 조사하여 선거 결과를 예측함.

# 어떻게?

## 각종 선거에서 출구 조사와 투표 결과가 다르게 나타나는 경우가 생길 수 있을까?

### 그 답은 바로 출구 조사의 표본 오차에 있다!

각종 선거가 있는 날이면 여러 매체에서 출구 조사 결과를 발표하며, 이를 통하여 누가 당선될 것인지를 예측하게 된다. 이러한 예측 결과는 투표소에서 투표를 마치고 나온 유권자들 중에서 임의로 선정된 일정한 수의 유권자를 표본으로 한 조사 결과를 분석하여 얻게 된다.

어느 선거의 출구 조사 결과 A후보가 $48.9\%$, B후보가 $50.1\%$를 얻은 것으로 조사되었고, 이 출구 조사는 신뢰도 $95\%$에 표본 오차는 $\pm 0.8\%$ 포인트였다고 하자. 이 경우, 조사 결과는 $1.2\%$ 포인트의 차이로 B후보가 앞섰지만 실제 투표 결과는 A후보가 당선되었다면, 그 이유는 무엇일까?

그 이유는 표본 오차에 있다. 이 출구 조사의 표본 오차가 신뢰도 $95\%$에서 $\pm 0.8\%$ 포인트라는 것은 A후보의 실제 득표율은 조사 결과인 $48.9\%$에서 오차의 한계인 $0.8\%$ 포인트를 뺀 $48.1\%$에서 이를 더한 $49.7\%$ 이내에 존재할 확률이 $95\%$라는 것을 의미하고, A후보의 득표율은 $49.3\%$에서 $50.9\%$ 이내에 존재할 확률이 $95\%$임을 알 수 있다.

따라서 이러한 표본 오차를 고려하면 A후보가 $49.7\%$를 득표하고 B후보가 $49.3\%$를 득표할 가능성도 있기 때문에 수치상으로는 B후보를 지지하는 비율이 높았지만 실제로는 A후보가 당선될 수도 있는 것이다.

그렇다면 표본 조사 결과에서 어느 정도의 차이가 있어야 당선된다고 예측할 수 있을까?

예측 조사 결과를 통하여 당선된다고 예측하려면 표본 오차가 $\pm 0.8\%$ 포인트일 경우, 두 후보 간의 조사 결과상 득표율의 차가 표본 오차의 2배인 $1.6\%$ 포인트 이상이 되어야만 한다.

이와 같이 수학은 생활 곳곳에서 사용되고 있고, 특히 통계에 대한 지식은 선거 결과를 좀 더 흥미롭게 볼 수 있도록 도와준다.

## 학습목표

01 확률변수와 확률분포의 뜻을 안다.

02 이산확률변수의 평균(기댓값)과 분산, 표준편차를 구할 수 있다.

03 이항분포와 정규분포의 뜻을 알고, 그 성질을 이해한다.

04 표본평균과 모평균의 관계, 표본비율과 모비율의 관계를 이해한다.

빠른정답 04쪽 / 친절한 해설 21쪽

# 01 확률변수와 확률분포

1. **확률변수** : 어느 시행에서 표본공간의 각 원소에 하나의 실수 값이 대응되는 함수를 확률변수라 하고, 확률변수 $X$가 어떤 값 $x$를 가질 확률을 기호로 $\mathrm{P}(X=x)$와 같이 나타낸다.
2. **확률분포** : 확률변수 $X$가 갖는 값과 $X$가 이 값을 가질 확률의 대응 관계를 $X$의 확률분포라고 한다.

• 확률변수는 보통 $X$, $Y$, $Z$ 등으로 나타내고, 확률변수가 가질 수 있는 값은 $x$, $y$, $z$ 등으로 나타낸다.

## 유형 042 확률변수와 확률분포

**※ [01~03] 한 개의 동전을 2번 던질 때, 나오는 뒷면의 개수를 확률변수 $X$라고 하자. 다음 물음에 답하여라.**

**01** 동전의 앞면을 H, 뒷면을 T로 나타낼 때, 표본공간 $S$를 구하여라.

**02** 확률변수 $X$가 가질 수 있는 모든 값을 구하여라.

**03** 확률변수 $X$의 확률분포를 표로 나타내어라.

**※ [04~06] 검은 공 2개와 흰 공 2개가 들어 있는 주머니에서 임의로 2개의 공을 꺼낼 때, 나오는 검은 공의 개수를 확률변수 $X$라고 하자. 다음 물음에 답하여라.**

**04** 검은 공을 B, 흰 공을 W로 나타낼 때, 표본공간 $S$를 구하여라.

**05** 확률변수 $X$가 가질 수 있는 모든 값을 구하여라.

**06** 확률변수 $X$의 확률분포를 표로 나타내어라.

# 02 이산확률변수와 확률질량함수

1. **이산확률변수** : 확률변수 $X$가 가질 수 있는 값이 유한개이거나 자연수와 같이 일일이 셀 수 있을 때, $X$를 이산확률변수라고 한다.
2. **확률질량함수** : 이산확률변수 $X$가 가질 수 있는 모든 값 $x_1, x_2, x_3, \cdots, x_n$에 이 값을 가질 확률 $p_1, p_2, p_3, \cdots, p_n$이 대응되는 함수
   $\mathrm{P}(X=x_i)=p_i \ (i=1, 2, \cdots, n)$
   를 이산확률변수 $X$의 확률질량함수라고 한다.
3. **확률질량함수의 성질** : 이산확률변수 $X$의 확률질량함수 $\mathrm{P}(X=x_i)=p_i \ (i=1, 2, \cdots, n)$에 대하여
   ① $0 \le p_i \le 1$
   ② $\sum_{i=1}^{n}(X=x_i)=p_1+p_2+\cdots+p_n=1$
   ③ $\mathrm{P}(x_i \le X \le x_j)=p_i+p_{i+1}+\cdots+p_j=\sum_{k=i}^{j}(X=x_k)$
   (단, $j=1, 2, \cdots, n, i \le j$)

• 확률변수 $X$가 $a$ 이상 $b$ 이하의 값을 가질 확률을 $\mathrm{P}(a \le X \le b)$와 같이 나타낸다.
• ① 확률은 0에서 1까지의 값을 갖는다.
② 모든 확률의 합은 1이다.
③ $\mathrm{P}(X=a \text{ 또는 } X=b)$
$=\mathrm{P}(X=a)+\mathrm{P}(X=b)$

## 유형 043 이산확률변수의 판정

※ [01~04] 다음 확률변수가 이산확률변수인지 아닌지 판별하여라.

**01** 한 개의 동전을 7번 던질 때 앞면이 나오는 횟수

**02** 4분 간격으로 운행되는 지하철을 기다리는 시간

**03** 10개의 주사위를 동시에 던질 때 나오는 눈의 수의 합

**04** 어느 고등학교 학생들의 몸무게

## 유형 044 이산확률변수의 확률분포

※ [05~07] 빨간 공 3개와 파란 공 4개가 들어 있는 주머니에서 2개의 공을 꺼낼 때, 나오는 빨간 공의 개수를 확률변수 $X$라고 하자. 다음 물음에 답하여라.

**05** $X$의 확률질량함수를 구하여라.

**06** $X$의 확률분포를 표로 나타내어라.

**07** 빨간 공이 1개 이상 나올 확률을 구하여라.

**※ [08~10] 남자 4명, 여자 2명 중에서 3명의 대표를 뽑을 때, 선출된 여자 대표의 수를 확률변수 $X$라고 하자. 다음 물음에 답하여라.**

**08** $X$의 확률질량함수를 구하여라.

**09** $X$의 확률분포를 표로 나타내어라.

**10** 여자 대표가 1명 이하로 선출될 확률을 구하여라.

**11** 불량품 4개가 포함된 10개의 제품 중에서 임의로 3개의 제품을 동시에 뽑을 때, 나오는 불량품의 개수를 확률변수 $X$라고 하자. 이때 $P(2 \le X \le 3)$을 구하여라.

**12** 서로 다른 두 개의 주사위를 동시에 던질 때, 나오는 두 눈의 수의 합을 확률변수 $X$라고 하자. 이때 $P(5 \le X \le 7)$을 구하여라.

**13** 0, 1, 2, 3의 숫자가 각각 하나씩 적혀 있는 4장의 카드 중에서 임의로 2장을 동시에 뽑을 때, 나오는 두 수의 차를 확률변수 $X$라고 하자. 이때 $P(X^2-3X+2 \le 0)$을 구하여라.

## 학교시험 필수예제

**14** 흰 구슬 5개, 검은 구슬 3개가 들어 있는 주머니에서 3개의 구슬을 동시에 꺼낼 때, 나오는 흰 구슬의 개수를 확률변수 $X$라고 하자. 이때 $P(1 \le X \le 2)$를 구하여라.

## 유형 045 확률질량함수의 성질

※ [15~16] 확률변수 $X$의 확률분포를 표로 나타내면 아래와 같을 때, 다음을 구하여라.

| $X$ | 1 | 2 | 3 | 합계 |
|---|---|---|---|---|
| $P(X=x)$ | $a$ | $3a$ | $\frac{1}{3}$ | 1 |

**15** $a$의 값

**16** $P(2 \le X \le 3)$

※ [17~19] 확률변수 $X$가 가질 수 있는 값이 1, 2, 3, 4, 5이고, 그 확률이 아래와 같을 때, 다음을 구하여라.

| $X$ | 1 | 2 | 3 | 4 | 5 |
|---|---|---|---|---|---|
| $P(X=x)$ | $\frac{1}{8}$ | $a$ | $\frac{1}{4}$ | $b$ | $\frac{1}{8}$ |

**17** $a+b$의 값

**18** $P(X=3$ 또는 $X=5)$

**19** $P(2 \le X \le 4)$

**20** 확률변수 $X$의 확률질량함수가

$$P(X=x)=kx\ (x=1,\ 2,\ 3,\ 4)$$

일 때, 상수 $k$의 값을 구하여라.

**21** 확률변수 $X$의 확률질량함수가

$$P(X=x)=\frac{k}{2^x}\ (x=1,\ 2,\ 3)$$

일 때, 상수 $k$의 값을 구하여라.

**22** 확률변수 $X$의 확률분포를 표로 나타내면 다음과 같을 때, $P(X^2=1)$을 구하여라.

| $X$ | $-1$ | 0 | 1 | 합계 |
|---|---|---|---|---|
| $P(X=x)$ | $\frac{1}{2}$ | $a^2$ | $\frac{a}{2}$ | 1 |

### 학교시험 필수예제

**23** 확률변수 $X$의 확률질량함수가

$$P(X=x)=p_x\ (x=1,\ 2,\ 3,\ 4)$$

이고, 확률 $p_1,\ p_2,\ p_3,\ p_4$가 이 순서대로 공차가 $\frac{1}{10}$인 등차수열을 이룰 때, $P(X^2-5X+6 \le 0)$을 구하여라.

# 03 이산확률변수의 기댓값(평균), 분산, 표준편차

이산확률변수 $X$의 확률질량함수가 $P(X=x_i)=p_i(i=1,\ 2,\ \cdots,\ n)$일 때

**1. 기댓값(평균)**

$E(X)=x_1p_1+x_2p_2+\cdots+x_np_n=\sum_{i=1}^{n}x_ip_i$

**2. 분산**

$V(X)=E((X-m)^2)=\sum_{i=1}^{n}(x_i-m)^2p_i$

$=E(X^2)-\{E(X)\}^2$ (단, $m=E(X)$)

**3. 표준편차**

$\sigma(X)=\sqrt{V(X)}$

- 기댓값 $E(X)$는 평균을 뜻하는 *mean*의 첫 글자 $m$으로 나타내기도 한다.
- $V(X)$는 편차 $X-m$의 제곱의 평균이다.
- $\sigma(X)$는 $V(X)$의 양의 제곱근이다.

## 유형 046 확률분포가 주어진 경우

※ [01~03] 확률변수 $X$의 확률분포를 표로 나타내면 아래와 같을 때, 다음을 구하여라.

| $X$ | 1 | 2 | 3 | 4 | 합계 |
|---|---|---|---|---|---|
| $P(X=x)$ | $\frac{1}{8}$ | $\frac{3}{8}$ | $\frac{3}{8}$ | $\frac{1}{8}$ | 1 |

**01** 평균

**02** 분산

**03** 표준편차

※ [04~06] 확률변수 $X$의 확률분포를 표로 나타내면 아래와 같을 때, 다음을 구하여라.

| $X$ | 1 | 2 | 3 | 4 | 합계 |
|---|---|---|---|---|---|
| $P(X=x)$ | $a$ | $\frac{1}{6}$ | $\frac{1}{3}$ | $\frac{1}{6}$ | 1 |

**04** 평균

**05** 분산

**06** 표준편차

## 유형 047 확률분포가 주어지지 않은 경우

**※ [07~08] 한 개의 주사위를 두 번 던질 때, 홀수의 눈이 나오는 횟수를 확률변수 $X$라고 하자. 다음에 답하여라.**

**07** 다음 표를 완성하여라.

| $X$ | 0 | 1 | 2 | 합계 |
|---|---|---|---|---|
| $\mathrm{P}(X=x)$ | | | | 1 |

**08** 평균, 분산, 표준편차를 각각 구하여라.

**※ [09~10] 검은 공 3개와 흰 공 2개가 들어 있는 주머니에서 2개의 공을 동시에 꺼낼 때, 꺼낸 공 중에서 흰 공의 개수를 확률변수 $X$라고 하자. 다음에 답하여라.**

**09** 다음 표를 완성하여라.

| $X$ | 0 | 1 | 2 | 합계 |
|---|---|---|---|---|
| $\mathrm{P}(X=x)$ | | | | 1 |

**10** 평균, 분산, 표준편차를 각각 구하여라.

**11** 당첨 제비가 3개가 들어 있는 6개의 제비 중에서 임의로 2개의 제비를 동시에 뽑을 때, 나오는 당첨 제비의 개수를 확률변수 $X$라고 하자. 이때 $X$의 평균을 구하여라.

**12** 한 개의 동전을 4번 던져서 나오는 앞면의 횟수를 확률변수 $X$라고 할 때, $X$의 분산을 구하여라.

## 학교시험 필수예제

**13** 1, 2, 3, 4의 숫자가 각각 하나씩 적혀 있는 4장의 카드 중에서 임의로 2장의 카드를 동시에 뽑을 때, 카드에 적힌 두 수 중 큰 수를 확률변수 $X$라고 하자. 이때 $X$의 표준편차를 구하여라.

## 유형 048 기댓값

**14** 500원짜리 동전 2개를 동시에 던질 때 앞면이 나온 동전의 금액의 합을 확률변수 $X$라고 하자. 이때 $X$의 기댓값을 구하여라.

**15** 한 개의 주사위를 던져서 나온 눈의 수를 100배 한 금액을 받기로 하였다. 이때 받을 수 있는 금액의 기댓값을 구하여라.

**16** 3개의 동전을 동시에 던질 때, 앞면 1개당 1000원의 상금을 받는다고 한다. 이때 상금의 기댓값을 구하여라.

**17** 한 개의 동전을 2번 던지는 시행에서 앞면이 나올 때마다 100원, 뒷면이 나올 때마다 40원의 상금을 받는다고 한다. 이때 상금의 기댓값을 구하여라.

**18** 100원짜리 동전 1개와 50원짜리 동전 2개를 동시에 던져서 앞면이 나오면 그 동전을 상금으로 받는다고 할 때, 상금의 기댓값을 구하여라.

### 학교시험 필수예제

**19** 검은 공 4개, 흰 공 2개가 들어 있는 주머니에서 임의로 2개의 공을 동시에 꺼낼 때, 검은 공은 1개당 300원, 흰 공은 1개당 600원의 상금을 받는다고 한다. 이때 상금의 기댓값을 구하여라.

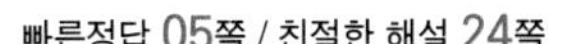

# 04 이산확률변수 $aX+b$의 평균, 분산, 표준편차

이산확률변수 $X$와 두 상수 $a$, $b(a\neq0)$에 대하여
① $\mathrm{E}(aX+b)=a\mathrm{E}(X)+b$
② $\mathrm{V}(aX+b)=a^2\mathrm{V}(X)$
③ $\sigma(aX+b)=|a|\sigma(X)$

|참고| $Y=aX+b$ ($a$, $b$는 상수, $a\neq0$)라고 하면 확률변수 $Y$의 평균, 분산, 표준편차는 다음과 같다.
① $\mathrm{E}(Y)=\sum_{i=1}^{n}(ax_i+b)p_i=a\sum_{i=1}^{n}x_ip_i+b\sum_{i=1}^{n}p_i=a\mathrm{E}(X)+b$
② $\mathrm{V}(Y)=\sum_{i=1}^{n}\{(ax_i+b)-\mathrm{E}(Y)\}^2p_i=\sum_{i=1}^{n}\{(ax_i+b)-(a\mathrm{E}(X)+b)\}^2p_i$
$=a^2\sum_{i=1}^{n}(x_i-\mathrm{E}(X))^2p_i=a^2\mathrm{V}(X)$
③ $\sigma(Y)=\sqrt{\mathrm{V}(Y)}=\sqrt{a^2\mathrm{V}(X)}=|a|\sigma(X)$

• 일반적으로 모든 확률변수에 대해서도 왼쪽 성질이 성립한다.
• $\sum_{i=1}^{n}x_ip_i=\mathrm{E}(X)$, $\sum_{i=1}^{n}p_i=1$

## 유형 049 이산확률변수 $aX+b$의 평균, 분산, 표준편차

※ [01~03] 확률변수 $X$에 대하여 $\mathrm{E}(X)=10$, $\mathrm{V}(X)=4$일 때, 다음 확률변수의 평균, 분산, 표준편차를 구하여라.

**01** $2X$

**02** $3X-2$

**03** $-\frac{1}{2}X+3$

**04** $\mathrm{E}(X)=2$, $\mathrm{V}(X)=3$일 때, $\mathrm{E}(2X^2-3)$의 값을 구하여라.

**05** 평균이 $-2$, 분산이 1인 확률변수 $X$에 대하여 확률변수 $Y=aX+b$의 평균이 1, 분산이 4일 때, 양수 $a$, $b$에 대하여 $a+b$의 값을 구하여라.

## 학교시험 필수예제

**06** 확률변수 $X$에 대하여 $Y=2X-1$이라고 할 때, $\mathrm{E}(Y)=3$, $\mathrm{E}(Y^2)=29$이다. 이때 $\mathrm{E}(X)\mathrm{V}(X)$의 값을 구하여라.

## 유형 050 확률분포가 주어진 경우의 확률변수의 성질

※ [07~11] 확률변수 $X$의 확률분포를 표로 나타내면 아래와 같을 때, 다음을 구하여라.

| $X$ | 0 | 1 | 2 | 3 | 합계 |
|---|---|---|---|---|---|
| $\mathrm{P}(X=x)$ | $\frac{1}{6}$ | $\frac{1}{3}$ | $\frac{1}{3}$ | $\frac{1}{6}$ | 1 |

**07** $\mathrm{E}(6X-2)$

**08** $\mathrm{V}(6X-2)$

**09** $\sigma(6X-2)$

**10** $\mathrm{E}(4X+7)$

**11** $\sigma(-3X+1)$

※ [12~14] 확률변수 $X$의 확률분포를 표로 나타내면 아래와 같을 때, 다음을 구하여라.

| $X$ | $-1$ | 0 | 1 | 합계 |
|---|---|---|---|---|
| $\mathrm{P}(X=x)$ | $\frac{1}{6}$ | $4a$ | $a$ | 1 |

**12** $a$의 값

**13** $\mathrm{E}(3X-1)$

**14** $\mathrm{V}(2X+5)$

### 학교시험 필수예제

**15** 확률변수 $X$의 확률분포를 표로 나타내면 다음과 같을 때, $\sigma(4X-5)$를 구하여라.

| $X$ | 1 | 2 | 3 | 합계 |
|---|---|---|---|---|
| $\mathrm{P}(X=x)$ | $a$ | $2a$ | $a$ | 1 |

### 유형 051 확률분포가 주어지지 않은 경우의 확률변수의 성질

※ [16~19] 한 개의 주사위를 던질 때, 나오는 눈의 수를 확률변수 $X$라고 하자. 이때 다음을 구하여라.

**16** $X$의 확률분포표

**17** $\mathrm{E}(4X+3)$

**18** $\mathrm{V}(4X+3)$

**19** $\sigma(4X+3)$

※ [20~22] 파란 공 3개, 빨간 공 2개가 들어 있는 상자에서 2개의 공을 동시에 꺼낼 때, 나오는 파란 공의 개수를 확률변수 $X$라고 하자. 이때 다음을 구하여라.

**20** $X$의 확률분포표

**21** $5X-3$의 평균

**22** $5X-3$의 분산

### 학교시험 필수예제

**23** 남학생 4명, 여학생 2명 중에서 3명의 대표를 뽑을 때, 뽑힌 남학생의 수를 확률변수 $X$라고 하자. 이때 $5X+7$의 분산을 구하여라.

# 05 이항분포

1. **이항분포** : 한 번의 시행에서 사건 $A$가 일어날 확률이 $p$로 일정할 때, $n$번의 독립시행에서 사건 $A$가 일어나는 횟수를 $X$라고 하면 확률변수 $X$의 확률질량함수는

$$P(X=x)={}_n\mathrm{C}_x p^x q^{n-x}\ (x=0,\ 1,\ 2,\ \cdots,\ n,\ q=1-p)$$

이다. 이와 같은 확률변수 $X$의 확률분포를 이항분포라 하고, 기호로 $\mathrm{B}(n,\ p)$와 같이 나타낸다.

2. **이항분포의 평균, 분산, 표준편차** : 확률변수 $X$가 이항분포 $\mathrm{B}(n,\ p)$를 따를 때, (단, $q=1-p$)
   ① 평균 $\mathrm{E}(X)=np$ ② 분산 $\mathrm{V}(X)=npq$
   ③ 표준편차 $\sigma(X)=\sqrt{npq}$

- $\mathrm{B}(n,\ p)$의 B는 이항분포를 뜻하는 Binomial distribution의 첫 글자이고, $n$은 시행 횟수, $p$는 사건이 일어날 확률이다.
- 이항분포를 따르는 확률변수 $X$의 확률질량함수는 복잡한 형태이지만 시행 횟수 $n$과 1번의 시행에서 사건이 일어날 확률 $p$만으로 간단하게 구할 수 있다.

## 유형 052 이항분포에서 확률 구하기

**※ [01~03] 다음 확률변수 $X$ 중에서 그 확률분포가 이항분포인 것을 찾고, $\mathrm{B}(n,\ p)$ 꼴로 나타내어라.**

**01** 6개의 동전을 동시에 던질 때, 앞면이 나오는 동전의 개수 $X$

**02** 검은 구슬 2개와 흰 구슬 5개 중에서 임의로 2개의 구슬을 꺼낼 때, 흰 구슬의 개수 $X$

**03** 주사위를 50번 던질 때, 3의 배수의 눈이 나오는 횟수 $X$

**※ [04~06] 서로 다른 2개의 동전을 동시에 던지는 시행을 4회 반복할 때, 2개 모두 앞면이 나오는 횟수를 확률변수 $X$라 고 하자. 다음 물음에 답하여라.**

**04** $X$가 이항분포를 따르면 $\mathrm{B}(n,\ p)$ 꼴로 나타내어라.

**05** $X$의 확률질량함수를 구하여라.

**06** $\mathrm{P}(X=2)$를 구하여라.

## 학교시험 필수예제

**07** 어느 양궁 선수의 명중률이 $\frac{2}{3}$이다. 이 선수가 5발을 쏘아 4발 이상 명중시킬 확률을 구하여라.

## 유형 053 이항분포의 평균, 분산, 표준편차

※ [08~10] 확률변수 $X$가 이항분포 $\mathrm{B}\left(10,\ \frac{2}{5}\right)$를 따를 때, 다음을 구하여라.

**08** 평균 $\mathrm{E}(X)$

**09** 분산 $\mathrm{V}(X)$

**10** 표준편차 $\sigma(X)$

**11** 확률변수 $X$의 확률질량함수가

$$\mathrm{P}(X=x)={}_{30}\mathrm{C}_x\left(\frac{1}{3}\right)^x\left(\frac{2}{3}\right)^{30-x}\quad(x=0,\ 1,\ 2,\ \cdots,\ 30)$$

일 때, $\mathrm{E}(X)$와 $\mathrm{V}(X)$를 각각 구하여라.

**12** 이항분포 $\mathrm{B}(10,\ p)$를 따르는 확률변수 $X$의 평균이 5일 때, $X^2$의 평균을 구하여라.

**13** 이항분포 $\mathrm{B}(n,\ p)$를 따르는 확률변수 $X$의 평균이 20, 표준편차가 4일 때, $n$의 값을 구하여라.

※ [14~16] 1개의 동전을 100번 던져서 앞면이 나오는 횟수를 $X$라고 할 때, 다음을 구하여라.

**14** 평균 $\mathrm{E}(X)$

**15** 분산 $\mathrm{V}(X)$

**16** 표준편차 $\sigma(X)$

**17** 발아율이 20 %인 씨앗 5000개를 뿌릴 때, 발아하는 씨앗의 개수를 확률변수 $X$라고 하자. 이때 $X$의 평균을 구하여라.

**18** 흰 공 8개와 검은 공 2개가 들어 있는 주머니에서 1개의 공을 꺼내어 색을 확인하고 주머니에 다시 넣는 시행을 100회 반복할 때, 흰 공이 나오는 횟수를 확률변수 $X$라고 하자. 이때 $X$의 분산을 구하여라.

**19** 치료율이 60 %인 주사약을 1000명의 환자에게 놓았을 때, 치유된 환자의 수를 확률변수 $X$라고 하자. 이때 $X$의 표준편차를 구하여라.

**20** 두 사람 A, B가 가위바위보를 15번 할 때, A가 이기는 횟수를 확률변수 $X$라고 하자. 이때 $\mathrm{E}(X^2)$을 구하여라.

## 학교시험 필수예제

**21** 한 개의 주사위를 $n$번 던지는 시행에서 3의 배수의 눈이 나오는 횟수를 확률변수 $X$라고 할 때, $X$의 평균은 $\mathrm{E}(X)=9$이다. 이때 $X^2$의 평균 $\mathrm{E}(X^2)$을 구하여라.

## 유형 054 이항분포의 평균, 분산, 표준편차의 응용

**22** 어느 사격 선수는 10번 중에서 6번의 비율로 과녁에 명중시킨다고 한다. 이 선수가 5발을 쏠 때, 과녁에 명중시킨 횟수를 확률변수 $X$라고 하자. 이때 $\mathrm{E}(2X-3)$을 구하여라.

**해설 |** 과녁에 명중시킬 확률이 $\square$이므로 확률변수 $X$는

이항분포 $\mathrm{B}\left(\square, \square\right)$을 따른다.

$\mathrm{E}(X)=\square$

$\therefore \mathrm{E}(2X-3)=\square$

**23** 20개의 동전을 동시에 던질 때, 뒷면이 나오는 동전의 개수를 확률변수 $X$라고 하자. 이때 $\mathrm{V}\left(\frac{1}{5}X+1\right)$을 구하여라.

**24** 이항분포 $\mathrm{B}\left(n, \frac{1}{4}\right)$을 따르는 확률변수 $X$에 대하여 $\mathrm{E}(X^2)=13$일 때, $\mathrm{E}(4X-7)$을 구하여라.

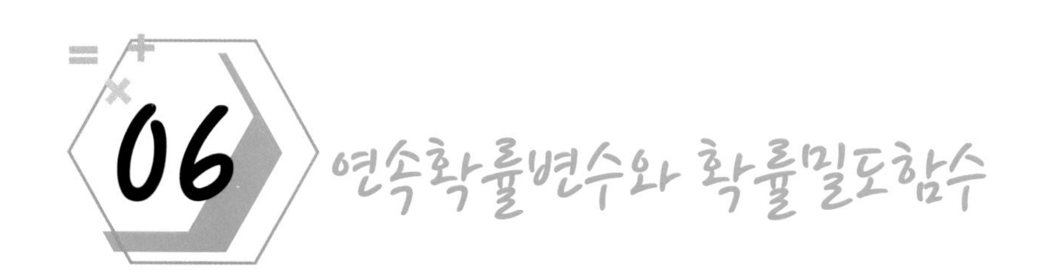


빠른정답 05쪽 / 친절한 해설 27쪽

1. **연속확률변수** : 확률변수 $X$가 어떤 범위에 속하는 모든 실수 값을 가질 때, $X$를 연속확률변수라고 한다.
2. **확률밀도함수** : $\alpha \le X \le \beta$에서 모든 실수 값을 가질 수 있는 연속확률변수 $X$에 대하여 $\alpha \le x \le \beta$에서 정의된 함수 $f(x)$가 다음 세 가지 성질을 만족시킬 때, 함수 $f(x)$를 확률변수 $X$의 확률밀도함수라고 한다.
   ① $f(x) \ge 0$
   ② $y=f(x)$의 그래프와 $x$축 및 두 직선 $x=\alpha$, $x=\beta$로 둘러싸인 도형의 넓이가 1이다.
   ③ 확률 $\mathrm{P}(a \le X \le b)$는 $y=f(x)$의 그래프와 $x$축 및 두 직선 $x=a$, $x=b$로 둘러싸인 도형의 넓이와 같다. (단, $\alpha \le a \le b \le \beta$)

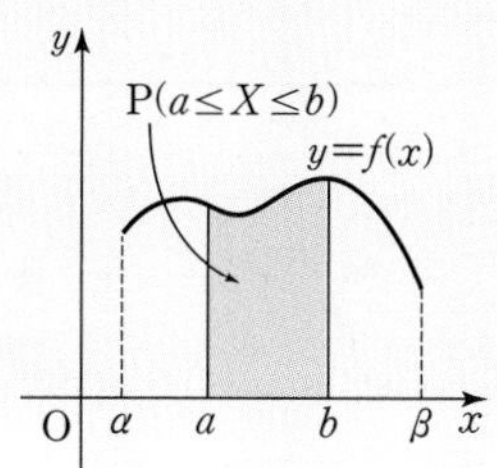


• 연속확률변수 $X$가 특정한 값을 가질 확률은 0이므로
$$\mathrm{P}(a \le X \le b) = \mathrm{P}(a \le X < b) = \mathrm{P}(a < X \le b) = \mathrm{P}(a < X < b)$$

## 유형 055 연속확률변수의 판정

※ [01~04] 다음에 주어진 확률변수가 이산확률변수인지 연속확률변수인지를 판정하여라.

**01** 어느 고등학교 학생들의 몸무게

**02** 한 개의 주사위를 3번 던질 때, 홀수가 나오는 횟수

**03** 어느 공장에서 생산되는 전구의 수명

**04** 어느 회사 사원들의 혈액형

## 유형 056 확률밀도함수

**05** 연속확률변수 $X$의 확률밀도함수가
$$f(x)=\frac{1}{4} \quad (0 \le x \le 4)$$
일 때, $\mathrm{P}(X \ge 2)$를 구하여라.

**06** 연속확률변수 $X$의 확률밀도함수가
$$f(x)=\frac{1}{2}x \quad (0 \le x \le 2)$$
일 때, $\mathrm{P}\left(\frac{1}{2} \le X \le 1\right)$을 구하여라.

**07** 연속확률변수 $X$의 확률밀도함수가
$$f(x)=-2x+2 \quad (0 \le x \le 1)$$
일 때, $\mathrm{P}\left(0 \le X \le \frac{1}{2}\right)$을 구하여라.

※ **[08~09] 연속확률변수 $X$의 확률밀도함수가**

$$f(x)=k \quad (0\le x\le 5)$$

**일 때, 다음을 구하여라.**

**08** 상수 $k$의 값

**09** $\mathrm{P}(X\ge 1)$

※ **[10~11] 연속확률변수 $X$의 확률밀도함수가**

$$f(x)=ax \quad (0\le x\le 2)$$

**일 때, 다음을 구하여라.**

**10** 상수 $a$의 값

**11** $\mathrm{P}(1\le x\le 2)$

**12** 연속확률변수 $X$의 확률밀도함수가

$$f(x)=k(x-1) \quad (2\le x\le 4)$$

일 때, 상수 $k$의 값을 구하여라.

**13** 연속확률변수 $X$의 확률밀도함수가

$$f(x)=\begin{cases}1+x & (-1\le x\le 0)\\ 1-x & (0\le x\le 1)\end{cases}$$

일 때, $\mathrm{P}\left(-\frac{1}{2}\le X\le \frac{1}{2}\right)$의 값을 구하여라.

※ **[14~15] 연속확률변수 $X$의 확률밀도함수**

$$y=f(x) \quad (0\le x\le 4)$$

**의 그래프가 오른쪽 그림과 같을 때, 다음을 구하여라.**

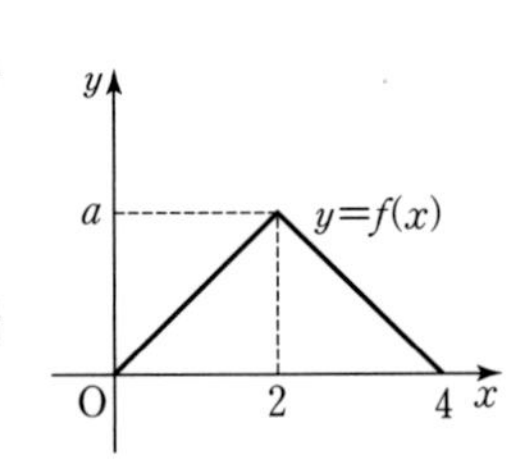


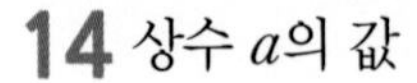

**14** 상수 $a$의 값

**15** $\mathrm{P}(1\le X\le 3)$

## 학교시험 필수예제

**16** 연속확률변수 $X$의 확률밀도함수

$$y=f(x) \quad (0\le x\le 2)$$

의 그래프가 오른쪽 그림과 같을 때, $\mathrm{P}\left(\frac{1}{2}\le X\le \frac{3}{2}\right)$을 구하여라.

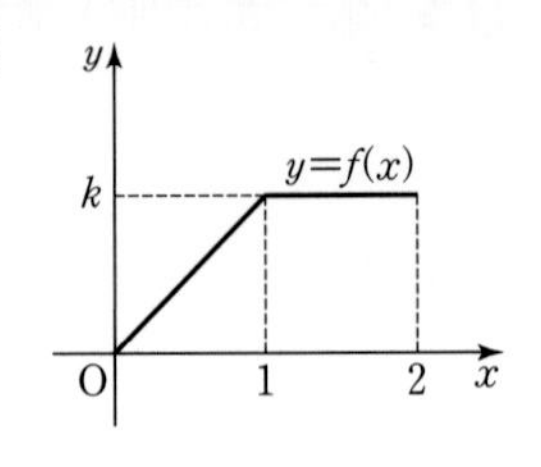

# 07 정규분포



1. **정규분포** : 실수 전체의 집합에서 정의된 연속확률변수 $X$의 확률밀도함수 $f(x)$가 두 상수 $m$, $\sigma(\sigma>0)$에 대하여

$$f(x)=\frac{1}{\sqrt{2\pi}\sigma}e^{-\frac{(x-m)^2}{2\sigma^2}}$$

일 때, $X$의 확률분포를 정규분포라고 한다.
이때 확률밀도함수 $f(x)$의 그래프는 오른쪽 그림과 같고, 이 곡선을 정규분포 곡선이라고 한다.

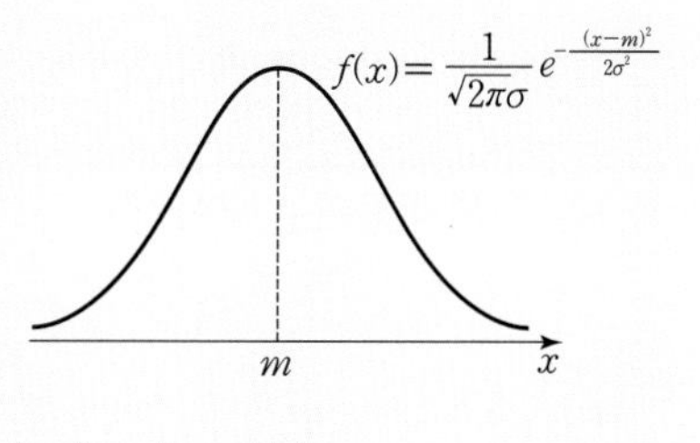


2. 평균과 분산이 각각 $m$과 $\sigma^2$인 정규분포를 기호로 $\mathrm{N}(m,\ \sigma^2)$과 같이 나타내고, 연속확률변수 $X$는 정규분포 $\mathrm{N}(m,\ \sigma^2)$을 따른다고 한다.

• $e$는 무리수 2.71828…을 나타내는 상수이다.
• $\mathrm{N}(m,\ \sigma^2)$의 N은 정규분포를 뜻하는 normal distribution의 첫 글자이다.

## 유형 057 정규분포의 표현

**01** 확률변수 $X$에 대하여 $\mathrm{E}(X)=10$, $\mathrm{V}(X)=4$일 때, $X$가 따르는 정규분포를 기호로 나타내어라.

**02** 확률변수 $X$에 대하여 $\mathrm{E}(X)=7$, $\mathrm{V}(X)=9$일 때, $X$가 따르는 정규분포를 기호로 나타내어라.

**03** 확률변수 $X$에 대하여 $\mathrm{E}(X)=4$, $\sigma(X)=3$일 때, $X$가 따르는 정규분포를 기호로 나타내어라.

**※ [04~06] 확률변수 $X$가 정규분포 $\mathrm{N}(20,\ 5^2)$을 따를 때, 확률변수 $Y=3X-5$에 대하여 다음을 구하여라.**

**04** $\mathrm{E}(Y)$

**05** $\sigma(Y)$

**06** 확률변수 $Y$가 따르는 정규분포를 기호로 나타내어라.

# 08 정규분포곡선의 성질

정규분포 $\mathrm{N}(m,\ \sigma^2)$을 따르는 확률변수 $X$의 정규분포곡선은 다음과 같은 성질을 갖는다.

① 직선 $x=m$에 대하여 대칭인 종 모양의 곡선이다.
② 곡선과 $x$축 사이의 넓이는 1이다.
③ $\sigma$의 값이 일정할 때, $m$의 값이 달라지면 대칭축의 위치는 바뀌지만 모양은 변하지 않는다.
④ $m$의 값이 일정할 때, $\sigma$의 값이 클수록 가운데 부분의 높이는 낮아지고 옆으로 퍼진 모양이 된다.

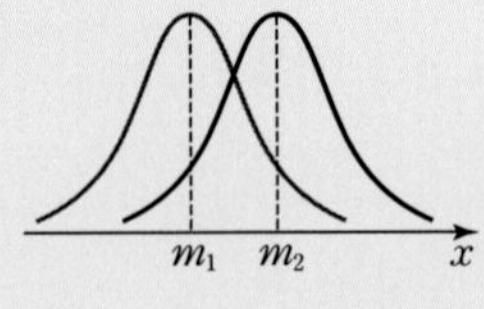

[$\sigma$는 일정, $m_1<m_2$]

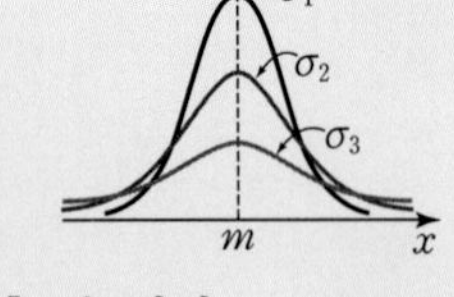

[$m$은 일정, $\sigma_1<\sigma_2<\sigma_3$]

• 표준편차 $\sigma$는 자료들이 평균을 중심으로 흩어진 정도를 나타내므로 정규분포곡선은 $\sigma$의 값에 따라 그 모양이 결정된다.
• 정규분포곡선의 대칭축의 위치와 퍼진 정도에 따라 평균과 분산의 대소를 비교할 수 있다.

## 유형 058 정규분포곡선의 성질

**※ [01~04] 다음은 정규분포 $\mathrm{N}(m,\ \sigma^2)$을 따르는 확률변수 $X$의 확률밀도함수 $f(x)$의 그래프에 대한 설명이다. 참, 거짓을 판별하여라.**

**01** 곡선과 $x$축 사이의 넓이는 1이다.

**02** 직선 $x=m$에 대하여 대칭인 곡선이다.

**03** 표준편차 $\sigma$의 값이 작을수록 곡선이 옆으로 퍼진다.

**04** $\sigma$의 값이 일정할 때, $m$의 값에 따라 평행이동한 도형이 된다.

**※ [05~07] 두 학교 A, B의 과학 성적은 정규분포를 따르고, 정규분포곡선은 오른쪽 그림과 같다. 두 학교 A, B의 과학 성적의 평균을 각각 $m_1$, $m_2$, 표준편차를 각각 $\sigma_1$, $\sigma_2$라고 할 때, 다음 물음에 답하여라.**

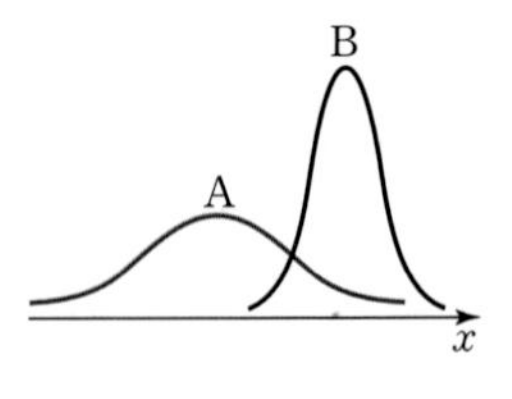


**05** $m_1$, $m_2$의 대소를 판정하여라.

**06** $\sigma_1$, $\sigma_2$의 대소를 판정하여라.

**07** A, B 두 학교 중에서 과학 성적이 고른 학교를 구하여라.

## 유형 059 정규분포에서의 확률

**※ [08~10] 확률변수 $X$가 정규분포 $N(m,\ \sigma^2)$을 따르고**

$$P(m \le X \le m+\sigma)=a,\ P(m \le X \le m+2\sigma)=b$$

**일 때, 다음을 $a$, $b$에 대한 식으로 나타내어라.**

**08** $P(m-\sigma \le X \le m+\sigma)$

**09** $P(X \ge m-\sigma)$

**10** $P(X \ge m+2\sigma)$

**※ [11~12] 확률변수 $X$가 정규분포 $N(m,\ \sigma^2)$을 따르고**

$$P(m-2\sigma \le X \le m+2\sigma)=0.9544$$

**일 때, 다음을 구하여라.**

**11** $P(m \le X \le m+2\sigma)$

**12** $P(X \ge m-2\sigma)$

**13** 확률변수 $X$가 정규분포 $N(m,\ \sigma^2)$을 따르고

$$P(X \ge 25)=P(X \le 15)$$

일 때, $m$의 값을 구하여라.

**14** 확률변수 $X$가 정규분포 $N(m,\ \sigma^2)$을 따르고

$$P(X \le 30)=P(X \ge 10+m)$$

일 때, 상수 $m$의 값을 구하여라.

**15** 확률변수 $X$가 정규분포 $N(20,\ 4^2)$을 따를 때, $P(X \le a)=P(X \ge a+2)$가 최대가 되게 하는 상수 $a$의 값을 구하여라.

## 학교시험 필수예제

**16** 확률변수 $X$가 정규분포 $N(m,\ \sigma^2)$을 따르고 $P(X \ge m+2\sigma)=0.0228$이 성립한다. $X$의 평균이 50, 표준편차가 5일 때, $P(X \ge k)=0.9772$를 만족시키는 상수 $k$의 값을 구하여라.

# 표준정규분포

**1. 표준정규분포** : 평균이 0이고 분산이 1인 정규분포 N(0, 1)을 표준정규분포라 하고, 확률변수 $Z$가 표준정규분포 N(0, 1)을 따를 때, $Z$의 확률밀도함수는

$$f(z)=\frac{1}{\sqrt{2\pi}}e^{-\frac{z^2}{2}}$$

이다.

**2. 정규분포의 표준화** : 확률변수 $X$가 정규분포 $\mathrm{N}(m, \sigma^2)$을 따를 때, 확률변수

$$Z=\frac{X-m}{\sigma}$$

은 표준정규분포 N(0, 1)을 따른다. 이때

$$\mathrm{P}(a\le X\le b)=\mathrm{P}\left(\frac{a-m}{\sigma}\le Z\le\frac{b-m}{\sigma}\right)$$

임을 이용하여 표준화한 다음, 표준정규분포표를 이용하여 $\mathrm{P}(a\le X\le b)$를 구한다.

- 표준정규분포표 : 확률 $\mathrm{P}(0\le Z\le a)$를 구하기 위해서는 구간 $0\le Z\le a$에서 곡선과 $z$축 사이의 영역의 넓이를 구해야 한다. 이 값을 양수 $a$의 값에 따라 미리 구하여 정리해 놓은 표가 표준정규분포표이다.
- $0<a<b$에 대하여 확률변수 $Z$가 표준정규분포를 따를 때,

① $\mathrm{P}(a\le Z\le b)$
$=\mathrm{P}(0\le Z\le b)-\mathrm{P}(0\le Z\le a)$
② $\mathrm{P}(-a\le Z\le 0)=\mathrm{P}(0\le Z\le a)$
③ $\mathrm{P}(Z\le a)=0.5+\mathrm{P}(0\le Z\le a)$

## 유형 060 표준정규분포표

**※ [01~07] 확률변수 $Z$가 표준정규분포 N(0, 1)을 따를 때, 오른쪽 표준정규분포표를 이용하여 다음을 구하여라.**

| $z$ | $\mathrm{P}(0\le Z\le z)$ |
|---|---|
| 0.5 | 0.1915 |
| 1.0 | 0.3413 |
| 1.5 | 0.4332 |
| 2.0 | 0.4772 |
| 2.5 | 0.4938 |
| 3.0 | 0.4987 |

**01** $\mathrm{P}(-1.5\le Z\le 1.5)$

**02** $\mathrm{P}(1.5\le Z\le 2)$

**03** $\mathrm{P}(-3\le Z\le -1)$

**04** $\mathrm{P}(Z\ge 2)$

**05** $\mathrm{P}(Z\ge -1.5)$

**06** $\mathrm{P}(Z\le -1)$

**07** $\mathrm{P}(Z\le 2.5)$

## 유형 061 정규분포의 표준화

※ [08~10] 확률변수 $X$가 다음의 정규분포를 따를 때, $X$를 표준화하여라.

**08** $N(25,\ 3^2)$

**09** $N(40,\ 16)$

**10** $N(50,\ 100)$

### 학교시험 필수예제

**11** 확률변수 X가 정규분포 $N(10,\ 4^2)$을 따를 때, $P(14 \le X \le 22)$를 표준정규분포 $N(0,\ 1)$을 따르는 확률변수 Z로 표준화하면 $P(a \le Z \le b)$가 된다. 이때 두 상수 $a$, $b$에 대하여 $b-a$의 값을 구하여라.

## 유형 062 표준정규분포에서 확률 구하기

※ [12~13] 확률변수 $X$가 정규분포 $N(27,\ 4^2)$을 따를 때, 오른쪽 표준정규분포표를 이용하여 다음 확률을 구하여라.

| $z$ | $P(0 \le Z \le z)$ |
|---|---|
| 0.5 | 0.1915 |
| 1.0 | 0.3413 |
| 1.5 | 0.4332 |
| 2.0 | 0.4772 |
| 2.5 | 0.4938 |
| 3.0 | 0.4987 |

**12** $P(23 \le X \le 33)$

**13** $P(29 \le X \le 39)$

※ [14~15] 확률변수 $X$가 정규분포 $N(15,\ 3^2)$을 따를 때, 오른쪽 표준정규분포표를 이용하여 다음 확률을 구하여라.

| $z$ | $P(0 \le Z \le z)$ |
|---|---|
| 1.0 | 0.3413 |
| 1.5 | 0.4332 |
| 2.0 | 0.4772 |

**14** $P(12 \le X \le 18)$

**15** $P(X \le 9)$

※ [16~17] 확률변수 $X$가 정규분포 $\mathrm{N}(50,\ 6^2)$을 따를 때, 오른쪽 표준정규분포표를 이용하여 다음 확률을 구하여라.

| $z$ | $\mathrm{P}(0 \le Z \le z)$ |
|---|---|
| 2.0 | 0.4772 |
| 2.5 | 0.4938 |
| 3.0 | 0.4987 |

**16** $\mathrm{P}(35 \le X \le 38)$

**17** $\mathrm{P}(32 \le X \le 62)$

※ [18~19] 확률변수 X가 정규분포 $\mathrm{N}(100,\ 10^2)$을 따를 때, 오른쪽 표준정규분포표를 이용하여 다음 확률을 구하여라.

| $z$ | $\mathrm{P}(0 \le Z \le z)$ |
|---|---|
| 0.5 | 0.1915 |
| 1.0 | 0.3413 |
| 1.5 | 0.4332 |
| 2.0 | 0.4772 |

**18** $\mathrm{P}(80 \le X \le 120)$

**19** $\mathrm{P}(85 \le X \le 95)$

## 유형 063 표준정규분포의 미지수의 값 구하기

**20** 정규분포 $\mathrm{N}(m,\ 4^2)$을 따르는 확률변수 $X$에 대하여 $\mathrm{P}(X \ge 35) = 0.0228$일 때, 상수 $m$의 값을 구하여라. (단, $\mathrm{P}(0 \le Z \le 2) = 0.4772$)

**21** 확률변수 확률변수 $X$가 정규분포 $\mathrm{N}(40,\ 5^2)$을 따를 때, 오른쪽 표준정규분포표를 이용하여 $\mathrm{P}(35 \le X \le k) = 0.8185$를 만족시키는 상수 $k$의 값을 구하여라.

| $z$ | $\mathrm{P}(0 \le Z \le z)$ |
|---|---|
| 0.5 | 0.1915 |
| 1.0 | 0.3413 |
| 1.5 | 0.4332 |
| 2.0 | 0.4772 |

## 학교시험 필수예제

**22** 확률변수 $X$가 정규분포 $\mathrm{N}(20,\ 2^2)$을 따를 때, 오른쪽 표준정규분포표를 이용하여 $\mathrm{P}(X \ge a+20) = 0.3085$를 만족시키는 상수 $a$의 값을 구하여라.

| $z$ | $\mathrm{P}(0 \le Z \le z)$ |
|---|---|
| 0.5 | 0.1915 |
| 1.0 | 0.3413 |
| 1.5 | 0.4332 |
| 2.0 | 0.4772 |

## 유형 064 정규분포의 활용

**23** 어느 과수원에서 수확한 사과 한 개의 무게는 평균이 200 g, 표준편차가 20 g인 정규분포를 따른다고 한다. 사과 한 개를 택할 때, 무게가 240 g 이상일 확률을 오른 표준정규분포표를 이용하여 구하여라.

| $z$ | $P(0\le Z\le z)$ |
|---|---|
| 0.5 | 0.1915 |
| 1.0 | 0.3413 |
| 1.5 | 0.4332 |
| 2.0 | 0.4772 |

**해설** 사과 한 개의 무게를 확률변수 $X$라고 하면 $X$는 정규분포 N(☐, ☐)을 따르므로

$Z=$☐으로 놓으면 $Z$는 표준정규분포 N(0, 1)을 따른다.

따라서 구하는 확률은

$P(X\ge 240)=P(Z\ge \square)$
$=P(Z\ge \square)$
$=P(Z\ge \square)-P(0\le Z\le \square)$
$=\square-\square=\square$

※ [24~25] 어느 지역의 고등학교 학생 10000명의 등교시간은 평균 35분, 표준편차 10분인 정규분포를 따른다고 한다. 오른쪽 표준정규분포표를 이용하여 다음 물음에 답하여라.

| $z$ | $P(0\le Z\le z)$ |
|---|---|
| 0.5 | 0.1915 |
| 1.0 | 0.3413 |
| 1.5 | 0.4332 |
| 2.0 | 0.4772 |

**24** 등교시간이 30분 이상 40분 이하인 학생은 전체의 몇 %인지 구하여라.

**25** 등교시간이 50분 이상인 학생은 몇 명인지 구하여라.

※ [26~27] 어느 회사의 입사 시험에 10000명이 지원하였다. 입사 시험에서 지원자들의 평균이 320점, 표준편차가 10점인 정규분포를 따른다고 할 때, 오른쪽 표준정규분포표를 이용하여 다음 물음에 답하여라.

| $z$ | $P(0\le Z\le z)$ |
|---|---|
| 0.5 | 0.1915 |
| 1.5 | 0.4332 |
| 2.0 | 0.4772 |
| 3.0 | 0.4987 |

**26** 점수가 325점 이상 350점 이하인 지원자는 전체의 몇 %인지 구하여라.

**27** 점수가 350점 이상인 지원자는 몇 명인지 구하여라.

**28** 어느 공장에서 생산되는 제품 5000개의 무게는 평균 100 g, 표준편차 10 g인 정규분포를 따른다고 한다. 제품 하나를 택하여 무게가 115 g 이상인 제품을 불량품으로 판정할 때, 불량품의 개수를 오른쪽 표준정규분포표를 이용하여 구하여라.

| $z$ | $P(0\le Z\le z)$ |
|---|---|
| 0.5 | 0.1915 |
| 1.5 | 0.4332 |
| 2.0 | 0.4772 |
| 3.0 | 0.4987 |

**29** 어느 대학교 1학년 신입생 500명의 한 달 용돈은 평균 40만 원, 표준편차 5만 원인 정규분포를 따른다고 할 때, 30만 원 이하의 용돈을 받는 학생은 몇 명인지 오른쪽 표준정규분포표를 이용하여 구하여라.

| $z$ | $\mathrm{P}(0\le Z\le z)$ |
|---|---|
| 0.5 | 0.1915 |
| 1.0 | 0.3413 |
| 1.5 | 0.4332 |
| 2.0 | 0.4772 |

**30** 어느 고등학교 학생 1000명의 제자리 멀리 뛰기 기록이 평균 210 cm, 표준편차 10 cm인 정규분포를 따른다고 할 때, 상위 기록부터 200번째 학생이 뛴 기록은 몇 cm인지 구하여라. (단, $\mathrm{P}(0\le Z\le 0.84)=0.3$)

**31** 160명을 모집하는 어느 대학의 입학 시험에 1000명이 응시하였다. 응시자의 시험 성적이 평균 360점, 표준편차 60점인 정규분포를 따른다고 할 때, 합격자의 최저 점수를 오른쪽 표준정규분포표를 이용하여 구하여라.

| $z$ | $\mathrm{P}(0\le Z\le z)$ |
|---|---|
| 1.0 | 0.3413 |
| 1.5 | 0.4332 |
| 2.0 | 0.4772 |
| 2.5 | 0.4938 |

학교시험 필수예제

**32** 어느 농장에서 생산하는 포도 한 송이의 무게는 평균이 300 g, 표준편차가 25 g인 정규분포를 따른다고 한다. 포도 8송이를 한 상자에 넣어 판매할 때, 포도 한 상자의 무게가 2400 g 이상 2600 g 이하일 확률을 오른쪽 표준정규분포표를 이용하여 구하여라.

(단, 상자의 무게는 고려하지 않는다.)

| $z$ | $\mathrm{P}(0\le Z\le z)$ |
|---|---|
| 0.5 | 0.1915 |
| 1.0 | 0.3413 |
| 1.5 | 0.4332 |
| 2.0 | 0.4772 |

# 10 이항분포와 정규분포의 관계

확률변수 $X$가 이항분포 $\mathrm{B}(n,\ p)$를 따를 때, $n$이 충분히 크면 $X$는 근사적으로 정규분포 $\mathrm{N}(np,\ npq)$를 따른다. (단, $q=1-p$)

$$\mathrm{B}(n,\ p) \xrightarrow{n\text{이 충분히 크면}} \mathrm{N}(np,\ npq)$$

• $n$이 충분히 크다는 것은 $np\geq5,\ nq\geq5$ 를 만족할 때이다.

## 유형 065 이항분포와 정규분포의 관계

**※ [01~04] 확률변수 $X$가 이항분포 $\mathrm{B}\left(1200,\ \frac{1}{4}\right)$을 따를 때, 다음에 답하여라.**

| $z$ | $\mathrm{P}(0\leq Z\leq z)$ |
|---|---|
| 1.0 | 0.3413 |
| 2.0 | 0.4772 |
| 3.0 | 0.4987 |

**01** $X$의 평균과 표준편차를 각각 구하여라.

**02** 확률변수 $X$가 따르는 정규분포를 기호로 나타내어라.

**03** $X$를 표준화하여라.

**04** 위의 표준정규분포표를 이용하여 $\mathrm{P}(X\geq315)$를 구하여라.

## 유형 066 이항분포와 정규분포의 관계의 확률

**05** 한 개의 동전을 64회 던질 때, 앞면이 34회 이상 나올 확률을 오른쪽 표준정규분포표를 이용하여 구하여라.

| $z$ | $\mathrm{P}(0\leq Z\leq z)$ |
|---|---|
| 0.5 | 0.1915 |
| 1.0 | 0.3413 |
| 1.5 | 0.4332 |
| 2.0 | 0.4772 |

**06** 어느 공장에서 생산되는 제품의 10 %가 불량품이라고 한다. 이 공장에서 생산되는 제품 400개 중에서 불량품이 28개 이하일 확률을 오른쪽 표준정규분포표를 이용하여 구하여라.

| $z$ | $\mathrm{P}(0\leq Z\leq z)$ |
|---|---|
| 0.5 | 0.1915 |
| 1.0 | 0.3413 |
| 1.5 | 0.4332 |
| 2.0 | 0.4772 |

빠른정답 06쪽 / 친절한 해설 31쪽

**1. 모집단과 표본**

① 모집단 : 통계조사에서 조사하고자 하는 대상 전체

② 표본 : 조사하기 위하여 뽑은 모집단의 일부분

③ 전수조사 : 모집단 전체를 조사하는 것

④ 표본조사 : 모집단의 일부분, 즉 표본을 조사하는 것

**2. 추출**

① 임의추출 : 모집단에 속하는 각 대상이 같은 확률로 추출되도록 하는 방법

② 복원추출 : 한 번 추출된 자료를 되돌려 놓고 다시 추출하는 것

③ 비복원추출 : 한 번 추출된 자료를 되돌려 놓지 않고 다시 추출하는 것

- 표본의 크기 : 표본조사에서 뽑은 표본의 개수
- 표본조사는 표본으로부터 모집단의 성질을 알아내는 것이 목적이므로 모집단에서 어느 한 부분에 편중되게 추출해서는 안 된다.

## 유형 067 모집단과 표본

**※ [01~05] 다음에서 전수조사와 표본조사 중 어느 것이 적합한지 말하여라.**

**01** TV프로그램의 시청률

**02** 어느 학급의 국어 성적의 평균

**03** 타이어의 수명

**04** 전국에 등록된 자동차의 대수

**05** 우리나라 고등학생의 휴대전화 사용 시간

**※ [06~08] 주머니 속에 $1$, $2$, $3$의 숫자가 각각 하나씩 적혀 있는 $3$개의 공이 들어 있다. 이 주머니에서 $2$개의 공을 임의로 추출할 때, 다음 방법의 수를 구하여라.**

**06** 복원추출하는 경우

**07** 한 개씩 비복원추출하는 경우

**08** 동시에 $2$개를 비복원추출하는 경우

# 12 모평균과 표본평균

빠른정답 06쪽 / 친절한 해설 31쪽

1. **모평균, 모분산, 모표준편차** : 모집단에서 조사하고자 하는 특성을 나타내는 확률변수를 $X$라고 할 때, $X$의 평균, 분산, 표준편차를 각각 모평균, 모분산, 모표준편차라 하고, 기호로 각각 $m$, $\sigma^2$, $\sigma$와 같이 나타낸다.
2. **표본평균, 표본분산, 표본표준편차** : 모집단에서 임의추출한 크기가 $n$인 표본에서 각 대상을 $X_1$, $X_2$, $\cdots$, $X_n$이라고 할 때, 이들의 평균, 분산, 표준편차를 각각 표본평균, 표본분산, 표본표준편차라 하고, 기호로 각각 $\overline{X}$, $S^2$, $S$와 같이 나타낸다. 이때 표본평균, 표본분산, 표본표준편차는 다음과 같이 구한다.

   ① 표본평균 : $\overline{X}=\frac{1}{n}\sum_{i=1}^{n}X_i$

   ② 표본분산 : $S^2=\frac{1}{n-1}\sum_{i=1}^{n}(X_i-\overline{X})^2$

   ③ 표본표준편차 : $S=\sqrt{S^2}$

• 표본분산은 모분산과 달리 편차의 제곱의 합을 $n-1$로 나눈 것으로 정의하는데, 이것은 모분산과의 차이를 줄이기 위한 것이다.

## 유형 068 모평균과 표본평균

**※ [01~03] 모집단 $\{1,\ 3,\ 5\}$에서 크기가 2인 표본을 임의로 복원추출할 때, 표본평균 $\overline{X}$의 확률분포를 표로 나타내면 아래와 같다. 다음을 구하여라.**

| $\overline{X}$ | 1 | 2 | 3 | 4 | 5 | 합계 |
|---|---|---|---|---|---|---|
| $P(\overline{X}=\overline{x})$ | $\frac{1}{9}$ | $a$ | $b$ | $c$ | $\frac{1}{9}$ | 1 |

**01** $a$의 값

**02** $b$의 값

**03** $c$의 값

**※ [04~05] 2, 4, 6의 숫자가 각각 하나씩 적힌 3개의 공이 들어 있는 주머니에서 임의로 2개의 공을 복원추출할 때, 공에 적힌 숫자의 표본평균 $\overline{X}$에 대하여 다음에 답하여라.**

**04** 표본평균 $\overline{X}$를 구하여라.

**05** $\overline{X}$의 확률분포를 표로 나타내어라.

# 13 표본평균의 평균, 분산, 표준편차

모평균이 $m$이고 모표준편차가 $\sigma$인 모집단에서 크기가 $n$인 표본을 임의추출할 때, 표본평균 $\overline{X}$에 대하여

① 평균 $\mathrm{E}(\overline{X})=m$

② 분산 $\mathrm{V}(\overline{X})=\dfrac{\sigma^2}{n}$

③ 표준편차 $\sigma(\overline{X})=\dfrac{\sigma}{\sqrt{n}}$

• 모평균 $m$은 고정된 상수이지만 표본평균 $\overline{X}$는 추출된 표본에 따라 여러 가지 값을 가질 수 있는 확률변수이다.

## 유형 069 표본평균의 평균, 분산, 표준편차

**※ [01~03] 모평균이 40, 모표준편차가 6인 모집단에서 100개의 표본을 임의추출할 때, 표본평균 $\overline{X}$에 대하여 다음을 구하여라.**

**01** $\mathrm{E}(\overline{X})$

**02** $\mathrm{V}(\overline{X})$

**03** $\sigma(\overline{X})$

**04** 모평균이 25, 모분산이 16인 모집단에서 크기가 10인 표본을 임의추출할 때, 표본평균 $\overline{X}$에 대하여 $\mathrm{E}(\overline{X})\mathrm{V}(\overline{X})$를 구하여라.

**※ [05~07] 모집단의 확률변수 $X$의 확률분포를 표로 나타내면 다음과 같다. 이 모집단에서 크기가 9인 표본을 임의추출할 때, 표본평균 $\overline{X}$에 대하여 다음을 구하여라.**

| $X$ | 0 | 1 | 2 | 합계 |
|---|---|---|---|---|
| $\mathrm{P}(X=x)$ | $\frac{1}{4}$ | $\frac{1}{2}$ | $\frac{1}{4}$ | 1 |

**05** $\mathrm{E}(\overline{X})$

**06** $\mathrm{V}(\overline{X})$

**07** $\sigma(\overline{X})$

**08** 모집단의 확률변수 $X$의 확률분포를 표로 나타내면 다음과 같다. 이 모집단에서 크기가 4인 표본을 임의추출할 때, 표본평균 $\overline{X}$의 평균을 구하여라.

| $X$ | $-1$ | 0 | 1 | 합계 |
|---|---|---|---|---|
| $\mathrm{P}(X=x)$ | $\frac{1}{3}$ | $a$ | $\frac{1}{2}$ | 1 |

**09** 정규분포 $\mathrm{N}(7,\ 36)$을 따르는 모집단에서 크기가 36인 표본을 임의추출할 때, 표본평균 $\overline{X}$에 대하여 $\mathrm{E}(\overline{X})$와 $\mathrm{V}(\overline{X})$를 각각 구하여라.

**10** 정규분포 $\mathrm{N}(5,\ 16)$을 따르는 모집단에서 크기가 4인 표본을 임의추출할 때, 표본평균 $\overline{X}$에 대하여 $\mathrm{E}(\overline{X}^2)$을 구하여라.

**11** 표준편차가 12인 모집단에서 크기가 $n$인 표본을 임의추출할 때, 표본평균 $\overline{X}$의 표준편차가 0.6 이하가 되도록 하는 $n$의 최솟값을 구하여라.

**※ [12~14] 1, 2, 2, 2, 3, 3의 숫자가 각각 하나씩 적힌 6개의 공이 들어 있는 주머니에서 4개의 공을 임의추출할 때, 공에 적힌 숫자의 평균을 $\overline{X}$라고 하자. 다음을 구하여라.**

**12** $\overline{X}$의 평균

**13** $\overline{X}$의 분산

**14** $\overline{X}$의 표준편차

## 학교시험 필수예제

**15** 모집단의 확률변수 $X$의 확률분포를 표로 나타내면 다음과 같다. 이 모집단에서 크기가 $n$인 표본을 임의 추출할 때, 표본평균 $\overline{X}$의 분산이 $\frac{1}{4}$이다. 이때 $n$의 값을 구하여라.

| $X$ | 0 | 1 | 2 | 3 | 합계 |
|---|---|---|---|---|---|
| $\mathrm{P}(X=x)$ | $\frac{1}{8}$ | $\frac{1}{4}$ | $\frac{1}{2}$ | $\frac{1}{8}$ | 1 |

# 14 표본평균의 분포

빠른정답 06쪽 / 친절한 해설 32쪽

모평균이 $m$, 모분산이 $\sigma^2$인 모집단에서 임의추출한 크기가 $n$인 표본의 표본평균을 $\overline{X}$라고 할 때, 다음이 성립한다.

① 모집단의 분포가 정규분포 $\mathrm{N}(m,\ \sigma^2)$이면 표본의 크기 $n$에 관계없이 $\overline{X}$는 정규분포 $\mathrm{N}\left(m,\ \dfrac{\sigma^2}{n}\right)$을 따른다.

② 모집단의 분포가 정규분포를 따르지 않더라도 표본의 크기 $n$이 충분히 크면 $\overline{X}$는 근사적으로 정규분포 $\mathrm{N}\left(m,\ \dfrac{\sigma^2}{n}\right)$을 따른다.

• 일반적으로 표본의 크기 $n$이 충분히 크다는 것은 $n \geq 30$을 만족할 때이다.

## 유형 070 표본평균의 분포에서의 확률

**※ [01~04] 정규분포 $\mathrm{N}(50,\ 100)$을 따르는 모집단에서 크기가 25인 표본을 임의추출할 때, 표본평균 $\overline{X}$에 대하여 다음을 구하여라.**

| $z$ | $\mathrm{P}(0 \leq Z \leq z)$ |
|---|---|
| 1.0 | 0.3413 |
| 2.0 | 0.4772 |
| 3.0 | 0.4987 |

**01** 표본평균 $\overline{X}$의 평균과 분산을 각각 구하여라.

**02** 표본평균 $\overline{X}$가 따르는 정규분포를 기호로 나타내어라.

**03** $\overline{X}$를 표준화하여라.

**04** 위의 표준정규분포표를이용하여 $\mathrm{P}(48 \leq \overline{X} \leq 54)$를 구하여라.

**05** 정규분포 $\mathrm{N}(6,\ 8^2)$을 따르는 모집단에서 크기가 4인 표본을 임의추출할 때, 오른쪽 표준정규분포표를 이용하여 표본평균 $\overline{X}$가 10 이상일 확률을 구하여라.

| $z$ | $\mathrm{P}(0 \leq Z \leq z)$ |
|---|---|
| 0.5 | 0.1915 |
| 1.0 | 0.3413 |
| 2.0 | 0.4772 |

**※ [06~07] 어느 농장에서 생산되는 사과의 무게는 평균이 300 g, 표준편차가 40 g인 정규분포를 따른다고 한다. 이 농장에서 생산된 사과 중 임의추출한 100개의 무게의 평균을 $\overline{X}$라 고 할 때, 오른쪽 표준정규분포표를 이용하여 다음 확률을 구하여라.**

| $z$ | $\mathrm{P}(0 \leq Z \leq z)$ |
|---|---|
| 0.5 | 0.1915 |
| 1.0 | 0.3413 |
| 1.5 | 0.4332 |
| 2.0 | 0.4772 |

**06** $\mathrm{P}(302 \leq \overline{X} \leq 306)$

**07** $\mathrm{P}(\overline{X} \leq 296)$

# 15 모평균의 추정

빠른정답 06쪽 / 친절한 해설 32쪽

1. **추정** : 모평균, 모표준편차와 같이 모집단의 특성을 나타내는 값을 표본을 이용하여 추측하는 것
2. **모평균의 신뢰구간** : 정규분포 $N(m,\ \sigma^2)$을 따르는 모집단에서 크기가 $n$인 표본을 임의추출하여 구한 표본평균 $\overline{X}$의 값이 $\overline{x}$일 때, 모평균 $m$의 신뢰구간은
   ① 신뢰도 95 %의 신뢰구간 ➡ $\overline{x}-1.96\frac{\sigma}{\sqrt{n}}\le m\le\overline{x}+1.96\frac{\sigma}{\sqrt{n}}$
   ② 신뢰도 99 %의 신뢰구간 ➡ $\overline{x}-2.58\frac{\sigma}{\sqrt{n}}\le m\le\overline{x}+2.58\frac{\sigma}{\sqrt{n}}$
3. **모평균의 신뢰구간의 길이**
   ① 신뢰도 95 % ➡ $2\times1.96\frac{\sigma}{\sqrt{n}}$
   ② 신뢰도 99 % ➡ $2\times2.58\frac{\sigma}{\sqrt{n}}$

- 모표준편차를 모를 때, 표본의 크기 $n$이 충분히 크면 모표준편차 $\sigma$와 표본표준편차 $s$가 거의 같아지므로 $\sigma$ 대신 $s$를 사용하여 신뢰구간을 구할 수 있다. 이때 $n$이 충분히 크다는 것은 일반적으로 $n\ge30$일 때를 뜻한다.
- 표본의 크기가 일정할 때, 신뢰도가 높아지면 신뢰구간의 길이는 커진다.
- 신뢰도가 일정할 때, 표본의 크기가 커지면 신뢰구간의 길이는 작아진다.

## 유형 071 모평균의 신뢰구간

**※ [01~02] 정규분포 $N(m,\ 2^2)$을 따르는 모집단에서 크기가 100인 표본을 임의추출할 때, 다음을 구하여라.**
**(단, $P(|Z|\le1.96)=0.95$, $P(|Z|\le2.58)=0.99$)**

**01** 표본평균이 20일 때, 모평균 $m$의 신뢰도 95 %의 신뢰구간

**02** 표본평균이 120일 때, 모평균 $m$의 신뢰도 99 %의 신뢰구간

**※ [03~04] 정규분포를 따르는 모집단에서 크기가 100인 표본을 임의추출할 때, 표본평균이 50, 표본표준편차가 5이다. 다음을 구하여라.**
**(단, $P(|Z|\le1.96)=0.95$, $P(|Z|\le2.58)=0.99$)**

**03** 모평균 $m$의 신뢰도 95 %의 신뢰구간

**04** 모평균 $m$의 신뢰도 99 %의 신뢰구간

## 유형 072 모평균의 신뢰구간의 길이와 표본의 크기

**※ [05~06] 정규분포를 따르는 모집단에서 임의추출한 표본 100개의 표준편차가 4일 때, 다음을 구하여라.**

**(단, $P(|Z| \le 1.96)=0.95$, $P(|Z| \le 2.58)=0.99$)**

**05** 신뢰도 95 %로 추정한 모평균의 신뢰구간의 길이

**06** 신뢰도 99 %로 추정한 모평균의 신뢰구간의 길이

**07** 표준편차가 2인 정규분포를 따르는 모집단에서 크기가 $n$인 표본을 임의추출하여 신뢰도 99 %로 모평균을 추정할 때, 신뢰구간이 길이가 4 이하가 되도록 하는 $n$의 최솟값을 구하여라.

(단, $P(|Z| \le 2.58)=0.99$)

**08** 표준편차가 10인 정규분포를 따르는 모집단에서 크기가 $n$인 표본을 임의추출하였더니 평균이 15이었다. 모평균 $m$을 신뢰도 95 %로 추정한 신뢰구간이 $13 \le m \le 17$일 때, $n$의 값을 구하여라.

(단, $P(|Z| \le 2)=0.95$)

**※ [09~11] 정규분포를 따르는 모집단에서 표본을 임의추출하여 모평균을 추정할 때, 모평균의 신뢰구간에 대하여 다음의 참, 거짓을 판별하여라.**

**09** 신뢰도가 일정할 때, 표본의 크기가 작을수록 신뢰구간의 길이는 작아진다.

**10** 신뢰도를 낮추면서 표본의 크기를 크게 하면 신뢰구간의 길이는 작아진다.

**11** 표본의 크기가 일정할 때, 신뢰도가 높아지면 신뢰구간의 길이는 커진다.

### 학교시험 필수예제

**12** 정규분포 $N(m,\ \sigma^2)$을 따르는 모집단에서 표본을 임의추출하여 모평균을 추정하려고 한다. 신뢰도가 일정할 때, 표본의 크기가 16배가 되면 신뢰구간의 길이는 $a$배가 된다. 이때 $a$의 값을 구하여라.

# Ⅲ. 통계

## 1. 확률변수와 확률분포

(1) 확률변수 : 어느 시행에서 표본공간의 각 원소에 하나의 실수 값이 대응되는 함수를 확률변수라 하고, 확률변수 $X$가 어떤 값 $x$를 가질 확률을 기호로 ❶ ____ 와 같이 나타낸다.

(2) 확률분포 : 확률변수 $X$가 갖는 값과 $X$가 이 값을 가질 확률의 대응 관계를 $X$의 확률분포라고 한다.

개념 window

- 확률변수는 보통 $X$, $Y$, $Z$ 등으로 나타내고, 확률변수가 가질 수 있는 값은 $x$, $y$, $z$ 등으로 나타낸다.

## 2. 이산확률변수의 분포

(1) 이산확률변수 : 확률변수가 $X$가 가질 수 있는 값이 유한개이거나 자연수와 같이 일일이 셀 수 있을 때, $X$를 이산확률변수라고 한다.

(2) 확률질량함수 : 이산확률변수 $X$가 가질 수 있는 모든 값 $x_1$, $x_2$, $x_3$, $y$, $x_n$에 이 값이 가질 확률 $p_1$, $p_2$, $p_3$, $y$, $p_n$이 대응되는 함수 $\mathrm{P}(X=x_i)=p_i$ $(i=1, 2, \cdots, n)$를 이산확률변수 $X$의 확률질량함수라고 한다.

(3) 기댓값, 분산, 표준편차 : 이산확률변수 $X$의 확률질량함수가 $\mathrm{P}(X=x_i)=p_i\ (i=1, 2, \cdots, n)$일 때,

① $\mathrm{E}(X)=\sum_{r=1}^{n}x_ip_i$　② $\mathrm{V}(X)=\mathrm{E}(X^2)-$ ❷ ____

③ $\sigma(X)=\sqrt{\mathrm{V}(X)}$

(4) 이산확률변수 $X$와 두 상수 $a$, $b$ $(a+0)$에 대하여

① $\mathrm{E}(aX+b)=$ ❸ ____ $\mathrm{E}(X)+b$　② $\mathrm{V}(aX+b)=$ ❹ ____ $\mathrm{V}(X)$

③ $\sigma(aX+b)=|a|\sigma(X)$

- 확률변수 $X$가 $a$ 이상 $b$ 이하의 값을 가질 확률을 $\mathrm{P}(a\le X\le b)$와 같이 나타낸다.

① 확률은 0에서 1까지의 값을 갖는다.

② 모든 확률의 합은 1이다.

③ $\mathrm{P}(X=a$ 또는 $X=b)$
$=\mathrm{P}(X=a)+\mathrm{P}(X=b)$

## 3. 이항분포

확률변수 $X$가 이항분포 $\mathrm{B}(n, p)$를 따를 때, (단, $q=1-p$)

(1) 확률변수 $X$의 확률질량함수는

$\mathrm{P}(X=x)={}_n\mathrm{C}_xp^xq^{n-x}$ $(x=0, 1, 2, \cdots, n, q=1-p)$

(2) $\mathrm{E}(X)=$ ❺ ____, $\mathrm{V}(X)=$ ❻ ____, $\sigma(X)=\sqrt{npq}$

- 이항분포를 따르는 확률변수 $X$의 확률질량함수는 복잡한 형태이지만 시행 횟수 $n$과 1번의 시행에서 사건이 일어날 확률 $p$만으로 간단하게 구할 수 있다.

❶ $\mathrm{P}(X=x)$　❷ $\{\mathrm{E}(X)\}^2$　❸ $a$　❹ $a^2$　❺ $np$　❻ $npq$

## 4. 연속확률변수와 확률밀도함수

(1) 연속확률변수 : 확률변수 $X$가 어떤 범위에 속하는 모든 실수 값을 가질 때, $X$를 연속확률변수라고 한다.

(2) 확률밀도함수 : $a \le X \le b$에서 모든 실수 값을 가질 수 있는 연속확률변수 $X$에 대하여 $a \le x \le b$에서 정의된 함수 $f(x)$가 다음 세 가지 성질을 만족시킬 때, 함수 $f(x)$를 확률변수 X의 확률밀도함수라고 한다.

① $f(x) \ge 0$

② $y=f(x)$의 그래프와 $x$축 및 두 직선 $x=a$, $x=b$로 둘러싸인 도형의 넓이가 ⑦ [　　] 이다.

③ 확률 $\mathrm{P}(a \le X \le b)$는 $y=f(x)$의 그래프와 $x$축 및 두 직선 $x=a$, $x=b$로 둘러싸인 도형의 넓이와 같다.

(단, $\alpha \le a \le b \le \beta$)

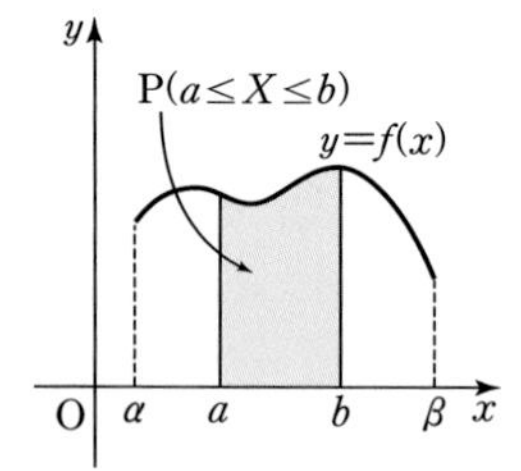


개념 window

- 연속확률변수 $X$가 특정한 값을 가질 확률은 0이므로
$$\mathrm{P}(a \le X \le b) = \mathrm{P}(a \le X < b) = \mathrm{P}(a < X \le b) = \mathrm{P}(a < X < b)$$

## 5. 정규분포

(1) 정규분포 : 실수 전체의 집합에서 정의된 연속확률변수 X의 확률밀도함수 $f(x)$가 두 상수 $m$, $r(r>0)$에 대하여

$$f(x) = \frac{1}{\sqrt{2\pi}\sigma} e^{-\frac{(x-m)^2}{2\sigma^2}}$$

일 때, X의 확률분포를 ⑧ [　　　　] 라고 한다.

이때 확률밀도함수 $f(x)$의 그래프는 오른쪽 그림과 같고, 이 곡선을 정규분포곡선이라고 한다.

(2) 평균과 분산이 각각 m과 $r^2$인 정규분포를 기호로 $\mathrm{N}(\mathrm{m},\ r^2)$과 같이 나타내고, 확률변수 X는 정규분포 $\mathrm{N}(\mathrm{m},\ r^2)$을 따른다고 한다.

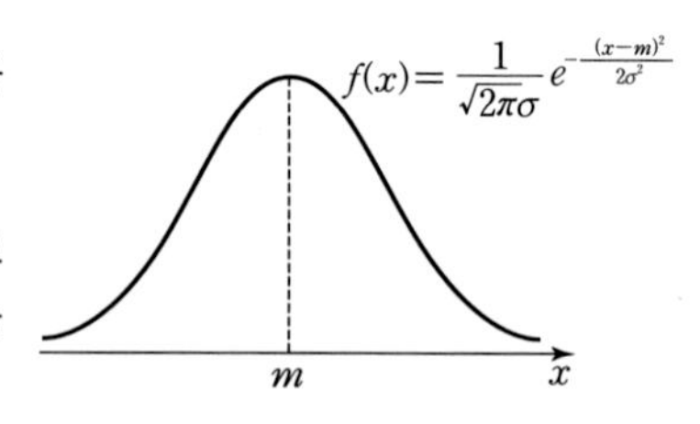


- $e$는 무리수 $2.71828\cdots$을 나타내는 상수이다.
- $\mathrm{N}(m,\ \sigma^2)$의 N은 정규분포를 뜻하는 normal distribution의 첫 글자이다.

## 6. 이항분포와 정규분포 사이의 관계

확률변수 $X$가 이항분포 $\mathrm{B}(n,\ p)$를 따를 때, $n$이 충분히 크면 $X$는 근사적으로 정규분포 N( ⑨ [　　] , ⑩ [　　] )를 따른다. (단, $q=1-p$)

$$\mathrm{B}(n,\ p) \xrightarrow{n\text{이 충분히 크면}} \mathrm{N}(np,\ npq)$$

- $n$이 충분히 크다는 것은 $np \ge 5$, $nq \ge 5$를 만족할 때이다.

⑦ 1　⑧ 정규분포　⑨ $np$　⑩ $npq$

## 7. 모집단과 표본

(1) 모집단과 표본

① 모집단 : 통계조사에서 조사하고자 하는 대상 전체
② 표본 : 조사하기 위하여 뽑은 모집단의 일부분
③ 전수조사 : 모집단 전체를 조사하는 것
④ 표본조사 : 모집단의 일부분, 즉 표본을 조사하는 것

(2) 추출

① 임의추출 : 모집단에 속하는 각 대상이 같은 확률로 추출되도록 하는 방법
② 복원추출 : 한 번 추출된 자료를 되돌려 놓고 다시 추출하는 것
③ 비복원추출 : 한 번 추출된 자료를 되돌려 놓지 않고 다시 추출하는 것

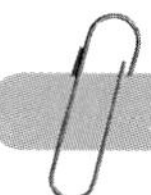

**개념 window**

- 표본의 크기 : 표본조사에서 뽑은 표본의 개수
- 표본조사는 표본으로부터 모집단의 성질을 알아내는 것이 목적이므로 모집단에서 어느 한 부분에 편중되게 추출해서는 안 된다.

## 8. 표본평균의 분포

(1) 모평균이 $m$이고 모표준편차가 $r$인 모집단에서 크기가 $n$인 표본을 임의추출할 때, 표본평균 $X$에 대하여

$\mathrm{E}(\overline{X})=$ ⑪ $\square$, $\mathrm{V}(\overline{X})=$ ⑫ $\square$, $r(X)=\frac{\sigma}{\sqrt{n}}$

(2) 모집단의 분포가 정규분포 $\mathrm{N}(m, \sigma^2)$이면 표본의 크기 $n$에 관계없이 $\overline{X}$는 정규분포 $\mathrm{N}\left(m, \frac{\sigma^2}{n}\right)$을 따른다.

(3) 모집단의 분포가 정규분포를 따르지 않더라도 표본의 크기 $n$이 충분히 크면 $\overline{X}$는 근사적으로 정규분포 $\mathrm{N}\left(m, \frac{\sigma^2}{n}\right)$을 따른다.

- 일반적으로 표본의 크기 $n$이 충분히 크다는 것은 $n\geq30$을 만족할 때이다.

## 9. 모평균의 추정

정규분포 $\mathrm{N}(m, \sigma^2)$을 따르는 모집단에서 크기가 $n$인 표본을 임의추출하여 구한 표본평균 $\overline{X}$의 값이 $\overline{x}$일 때, 모평균 $m$의 신뢰구간은

(1) 신뢰도 95 %의 신뢰구간 ⇨ $\overline{x}-$ ⑬ $\square \times\frac{\sigma}{\sqrt{n}}\leq m\leq\overline{x}+$ ⑭ $\square \times\frac{\sigma}{\sqrt{n}}$

(2) 신뢰도 99 %의 신뢰구간 ⇨ $\overline{x}-$ ⑮ $\square \times\frac{\sigma}{\sqrt{n}}\leq m\leq\overline{x}+$ ⑯ $\square \times\frac{\sigma}{\sqrt{n}}$

- 표본의 크기가 일정할 때, 신뢰도가 높아지면 신뢰구간의 길이는 커진다.
- 신뢰도가 일정할 때, 표본의 크기가 커지면 신뢰구간의 길이는 작아진다.

⑪ $m$ ⑫ $\frac{\sigma^2}{n}$ ⑬ 1.96 ⑭ 1.96 ⑮ 2.58 ⑯ 2.58

# 표준정규분포표

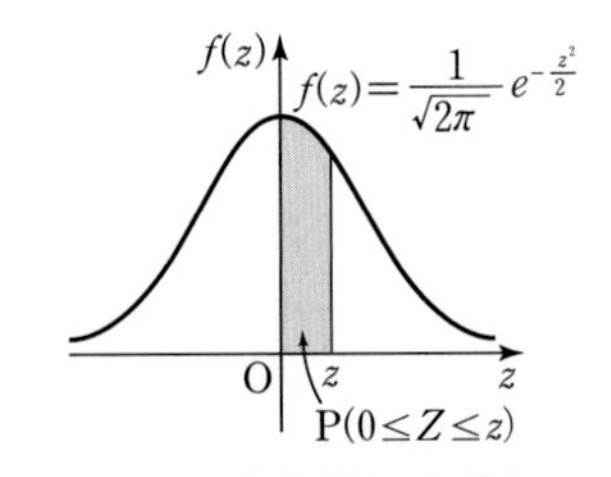


| z | 0.00 | 0.01 | 0.02 | 0.03 | 0.04 | 0.05 | 0.06 | 0.07 | 0.08 | 0.09 |
|---|---|---|---|---|---|---|---|---|---|---|
| 0.0 | .0000 | .0040 | .0080 | .0120 | .0160 | .0199 | .0239 | .0279 | .0319 | .0359 |
| 0.1 | .0398 | .0438 | .0478 | .0517 | .0557 | .0596 | .0636 | .0675 | .0714 | .0753 |
| 0.2 | .0793 | .0832 | .0871 | .0910 | .0948 | .0987 | .1026 | .1064 | .1103 | .1141 |
| 0.3 | .1179 | .1217 | .1255 | .1293 | .1331 | .1368 | .1406 | .1443 | .1480 | .1517 |
| 0.4 | .1554 | .1591 | .1628 | .1664 | .1700 | .1736 | .1772 | .1808 | .1844 | .1879 |
| 0.5 | .1915 | .1950 | .1985 | .2019 | .2054 | .2088 | .2123 | .2157 | .2190 | .2224 |
| 0.6 | .2257 | .2291 | .2324 | .2357 | .2389 | .2422 | .2454 | .2486 | .2517 | .2549 |
| 0.7 | .2580 | .2611 | .2642 | .2673 | .2704 | .2734 | .2764 | .2794 | .2823 | .2852 |
| 0.8 | .2881 | .2910 | .2939 | .2967 | .2995 | .3023 | .3051 | .3078 | .3106 | .3133 |
| 0.9 | .3159 | .3186 | .3212 | .3238 | .3264 | .3289 | .3315 | .3340 | .3365 | .3389 |
| 1.0 | .3413 | .3438 | .3461 | .3485 | .3508 | .3531 | .3554 | .3577 | .3599 | .3621 |
| 1.1 | .3643 | .3665 | .3686 | .3708 | .3729 | .3749 | .3770 | .3790 | .3810 | .3830 |
| 1.2 | .3849 | .3869 | .3888 | .3907 | .3925 | .3944 | .3962 | .3980 | .3997 | .4015 |
| 1.3 | .4032 | .4049 | .4066 | .4082 | .4099 | .4115 | .4131 | .4147 | .4162 | .4177 |
| 1.4 | .4192 | .4207 | .4222 | .4236 | .4251 | .4265 | .4279 | .4292 | .4306 | .4319 |
| 1.5 | .4332 | .4345 | .4357 | .4370 | .4382 | .4394 | .4406 | .4418 | .4429 | .4441 |
| 1.6 | .4452 | .4463 | .4474 | .4484 | .4495 | .4505 | .4515 | .4525 | .4535 | .4545 |
| 1.7 | .4554 | .4564 | .4573 | .4582 | .4591 | .4599 | .4608 | .4616 | .4625 | .4633 |
| 1.8 | .4641 | .4649 | .4656 | .4664 | .4671 | .4678 | .4686 | .4693 | .4699 | .4706 |
| 1.9 | .4713 | .4719 | .4726 | .4732 | .4738 | .4744 | .4750 | .4756 | .4761 | .4767 |
| 2.0 | .4772 | .4778 | .4783 | .4788 | .4793 | .4798 | .4803 | .4808 | .4812 | .4817 |
| 2.1 | .4821 | .4826 | .4830 | .4834 | .4838 | .4842 | .4846 | .4850 | .4854 | .4857 |
| 2.2 | .4861 | .4864 | .4868 | .4871 | .4875 | .4878 | .4881 | .4884 | .4887 | .4890 |
| 2.3 | .4893 | .4896 | .4898 | .4901 | .4904 | .4906 | .4909 | .4911 | .4913 | .4916 |
| 2.4 | .4918 | .4920 | .4922 | .4925 | .4927 | .4929 | .4931 | .4932 | .4934 | .4936 |
| 2.5 | .4938 | .4940 | .4941 | .4943 | .4945 | .4946 | .4948 | .4949 | .4951 | .4952 |
| 2.6 | .4953 | .4955 | .4956 | .4957 | .4959 | .4960 | .4961 | .4962 | .4963 | .4964 |
| 2.7 | .4965 | .4966 | .4967 | .4968 | .4969 | .4970 | .4971 | .4972 | .4973 | .4974 |
| 2.8 | .4974 | .4975 | .4976 | .4977 | .4977 | .4978 | .4979 | .4979 | .4980 | .4981 |
| 2.9 | .4981 | .4982 | .4982 | .4983 | .4984 | .4984 | .4985 | .4985 | .4986 | .4986 |
| 3.0 | .4987 | .4987 | .4987 | .4988 | .4988 | .4989 | .4989 | .4989 | .4990 | .4990 |
| 3.1 | .4990 | .4991 | .4991 | .4991 | .4992 | .4992 | .4992 | .4992 | .4993 | .4993 |
| 3.2 | .4993 | .4993 | .4994 | .4994 | .4994 | .4994 | .4994 | .4995 | .4995 | .4995 |
| 3.3 | .4995 | .4995 | .4995 | .4996 | .4996 | .4996 | .4996 | .4996 | .4996 | .4997 |

# 유형 익힘 분석

틀린 문항이 20% 이하이면 ○표, 20%~50% 범위이면 △표, 50% 이상이면 ×표를 하여 결과를 기준으로 나에게 취약한 유형을 파악한 후 관련 개념과 문제를 반드시 복습하고 개념을 완벽히 이해하도록 하세요.

| 유형No. | 유형 | 총 문항수 | 틀린 문항수 | 채점결과 |
| --- | --- | --- | --- | --- |
| 001 | 원탁에 둘러앉는 방법의 수 | 8 | | ○△× |
| 002 | 여러 가지 모양의 탁자에 둘러앉는 방법의 수 | 6 | | ○△× |
| 003 | 도형에 색칠하는 방법의 수 | 6 | | ○△× |
| 004 | 중복순열의 계산 | 6 | | ○△× |
| 005 | 신호의 개수와 배정 방법의 수 | 4 | | ○△× |
| 006 | 중복순열을 이용한 정수의 개수 | 4 | | ○△× |
| 007 | 함수의 개수 | 4 | | ○△× |
| 008 | 문자 또는 숫자의 나열 | 5 | | ○△× |
| 009 | 같은 것이 있는 순열의 정수의 개수 | 4 | | ○△× |
| 010 | 제한 조건이 있을 때의 같은 것이 있는 순열의 수 | 8 | | ○△× |
| 011 | 장애물이 없는 경우 최단 거리로 가는 방법의 수 | 4 | | ○△× |
| 012 | 장애물이 있는 경우 최단 거리로 가는 방법의 수 | 3 | | ○△× |
| 013 | 중복조합의 계산 | 8 | | ○△× |
| 014 | 중복조합을 이용한 경우의 수 | 8 | | ○△× |
| 015 | 방정식의 해의 개수 | 4 | | ○△× |

| 유형No. | 유형 | 총 문항수 | 틀린 문항수 | 채점결과 |
| --- | --- | --- | --- | --- |
| 016 | 전개식의 항의 개수 | 4 | | ○△× |
| 017 | $(a+b)^n$의 전개식 | 8 | | ○△× |
| 018 | $(a+b)^p(c+q)^q$의 전개식 | 3 | | ○△× |
| 019 | $(a+b+c)^n$의 전개식 | 4 | | ○△× |
| 020 | 파스칼의 삼각형 | 8 | | ○△× |
| 021 | 이항계수의 성질 | 9 | | ○△× |
| 022 | 시행과 사건 | 8 | | ○△× |
| 023 | 배반사건과 여사건 | 11 | | ○△× |
| 024 | 수학적 확률 | 7 | | ○△× |
| 025 | 순열을 이용하는 확률 | 10 | | ○△× |
| 026 | 조합을 이용하는 확률 | 9 | | ○△× |
| 027 | 통계적 확률 | 7 | | ○△× |
| 028 | 기하학적 확률 | 6 | | ○△× |
| 029 | 확률의 기본 성질 | 8 | | ○△× |
| 030 | 확률의 덧셈정리 | 10 | | ○△× |
| 031 | '적어도'의 조건이 있는 경우 | 8 | | ○△× |
| 032 | '아닌', '이상', '이하'의 조건이 있는 경우 | 9 | | ○△× |
| 033 | 조건부확률의 계산 | 9 | | ○△× |
| 034 | 조건부확률 | 7 | | ○△× |
| 035 | 확률의 곱셈정리 | 11 | | ○△× |

# 연마 수학

## 확률과 통계
## 정답 및 해설

# 연마수학

## 확률과 통계

# 빠른 정답

## Ⅰ. 순열과 조합

### 01 원순열 본문 8쪽

01 24
02 720
03 576
04 144
05 16
06 12
07 24
08 12
09 6, 1, 6
10 240
11 360
12 10080
13 120
14 ②
15 6
16 8
17 30
18 8
19 30
20 180

### 02 중복순열 본문 11쪽

01 49
02 32
03 27
04 1
05 4
06 7
07 32
08 81
09 16
10 81
11 0, 3, 2, 4, 2, 16, 48
12 81
13 250
14 112
15 64
16 81
17 60
18 64

### 03 같은 것이 있는 순열 본문 13쪽

01 4
02 10
03 105
04 210
05 1260
06 12
07 420
08 48
09 15
10 o, t, 6, 2, 360, 2, 2, 720
11 360
12 120
13 540
14 300
15 60
16 60
17 180
18 10
19 126
20 9
21 90
22 7
23 105
24 10

### 04 중복조합 본문 16쪽

01 4
02 6
03 5
04 1
05 7
06 4
07 4
08 4
09 28
10 20
11 330
12 286
13 84
14 165
15 35
16 136
17 36
18 15
19 91
20 55
21 5
22 15
23 21
24 45

### 05 이항정리 본문 19쪽

01 $x^5+5x^4y+10x^3y^2+10x^2y^3+5xy^4+y^5$
02 $x^4-8x^3+24x^2-32x+16$
03 $64a^6+192a^5b+240a^4b^2+160a^3b^3+60a^2b^4+12ab^5+b^6$
04 $x^3+6x+\frac{12}{x}+\frac{8}{x^3}$
05 56
06 $-216$
07 $-20$
08 2
09 ${}_3C_r \cdot {}_4C_s 2^{4-s} x^{r+s}$, 1, 3, 4, 48, 32, 80
10 16
11 164
12 4, 4, 1, 2, 1, 12
13 2016
14 6
15 $-80$

### 06 파스칼의 삼각형 본문 21쪽

01 ${}_8C_3$
02 ${}_5C_4$
03 ${}_7C_3$
04 ${}_6C_2$
05 ${}_5C_3$
06 35
07 69
08 ⑤

### 07 이항계수의 성질 본문 22쪽

01 16
02 1024
03 63
04 7
05 8
06 256
07 $2^{11}$
08 2
09 10

## Ⅱ. 확률

### 01 시행과 사건 본문 28쪽

01 {1, 2, 3, 4, 5, 6}
02 {2, 4, 6}
03 {2, 3, 5}
04 {1, 2, 3, 6}

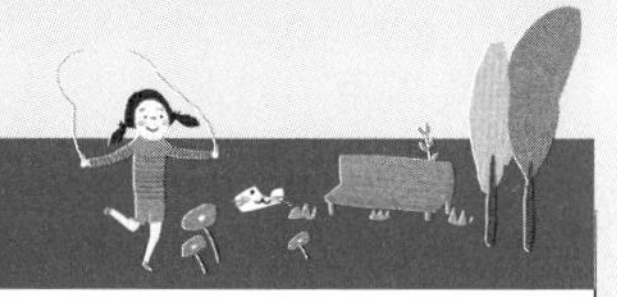

05 $\{1, 2, 3, 4, 5, 6, 7, 8, 9, 10\}$

06 $\{1, 3, 5, 7, 9\}$

07 $\{3, 6, 9\}$

08 $\{1, 2, 5, 10\}$

09 $\{1, 2, 3, 5\}$

10 $\{3, 5\}$

11 $\{2, 4, 6\}$

12 $\{1, 2, 4, 6\}$

13 $\{2, 4, 5, 6, 8, 10, 12, 14, 15\}$

14 $\{10\}$

15 $\{1, 3, 5, 7, 9, 11, 13, 15\}$

16 $\{1, 3, 7, 9, 11, 13\}$

17 $A$와 $B$, $A$와 $C$

18 32

19 4

## 02 수학적 확률과 통계적 확률 본문 30쪽

01 $\frac{1}{6}$

02 $\frac{7}{36}$

03 $\frac{3}{4}$

04 $\frac{1}{6}$

05 $\frac{3}{8}$

06 $\frac{1}{4}$

07 $\frac{5}{12}$

08 $\frac{2}{5}$

09 $\frac{3}{5}$

10 $\frac{1}{10}$

11 $\frac{3}{10}$

12 $\frac{1}{10}$

13 $\frac{1}{3}$

14 $\frac{16}{81}$

15 $\frac{2}{7}$

16 $\frac{1}{21}$

17 $\frac{1}{2}$

18 $\frac{1}{3}$

19 $\frac{2}{3}$

20 $\frac{4}{15}$

21 $\frac{1}{56}$

22 $\frac{15}{56}$

23 $\frac{2}{5}$

24 $\frac{6}{7}$

25 $\frac{7}{15}$

26 $\frac{2}{5}$

27 $\frac{1}{100}$

28 $\frac{14}{25}$

29 $\frac{3}{50}$

30 $\frac{2}{25}$

31 $\frac{13}{20}$

32 14

33 6

34 $\frac{3}{8}$

35 $\frac{4}{9}$

36 $\frac{5}{16}$

37 $1-\frac{\pi}{8}$

38 $\frac{23}{28}$

39 $\frac{3}{4}$

## 03 확률의 기본 성질과 덧셈정리 본문 35쪽

01 $\frac{4}{9}$

02 $\frac{5}{9}$

03 0

04 1

05 $\frac{7}{15}$

06 $\frac{8}{15}$

07 1

08 0

09 $\frac{8}{15}$

10 $\frac{1}{4}$

11 $\frac{2}{5}$

12 $\frac{4}{5}$

13 0.2

14 $\frac{7}{15}$

15 $\frac{1}{5}$

16 $\frac{4}{5}$

17 $\frac{1}{7}$

18 $\frac{2}{9}$

## 04 여사건의 확률 본문 37쪽

01 $\frac{7}{8}$

02 $\frac{2}{7}$

03 $\frac{5}{7}$

04 $\frac{5}{42}$

05 $\frac{37}{42}$

06 $\frac{31}{35}$

07 $\frac{7}{10}$

08 5

09 $\frac{3}{4}$

10 $\frac{5}{6}$

11 $\frac{11}{12}$

12 $\frac{5}{6}$

13 $\frac{19}{25}$

14 $\frac{37}{42}$

15 $\frac{11}{16}$

16 $\frac{3}{4}$

17 $\frac{41}{44}$

## 05 조건부확률 본문 39쪽

01 $\frac{1}{3}$

02 $\frac{2}{3}$

03 $\frac{1}{2}$

04 $\frac{1}{10}$

05 $\frac{1}{2}$

06 $\frac{3}{4}$

07 $\frac{1}{2}$

08 $\frac{3}{5}$

09 $\frac{1}{2}$

10 $\frac{3}{8}$, $\frac{1}{8}$, $\frac{1}{8}$, $\frac{3}{8}$, $\frac{1}{3}$

11 $\frac{1}{5}$

12 $\frac{3}{8}$

13 $\frac{1}{2}$

14 $\frac{2}{3}$

15 $\frac{7}{12}$

16 $\frac{9}{35}$

## 06 확률의 곱셈정리

본문 41쪽

01 $\frac{3}{25}$

02 $\frac{6}{25}$

03 $\frac{11}{50}$

04 $\frac{11}{30}$

05 $\frac{2}{5}$

06 $\frac{2}{15}$

07 $\frac{2}{5}$

08 $\frac{3}{16}$

09 $\frac{5}{21}$

10 $\frac{1}{3}$

11 $\frac{14}{33}$

12 $\frac{3}{10}$, $\frac{4}{15}$, $\frac{17}{30}$

13 $\frac{9}{17}$

14 $\frac{7}{19}$

## 07 사건의 독립과 종속

본문 43쪽

01 독립

02 독립

03 종속

04 종속

05 독립

06 종속

07 0.12

08 0.4

09 0.7

10 0.7

11 0.5

12 참

13 참

14 참

15 거짓

16 참

17 $\frac{1}{20}$

18 $\frac{7}{20}$

19 $\frac{2}{5}$

20 $\frac{1}{4}$

21 0.48

22 0.98

23 $\frac{44}{125}$

24 $\frac{23}{50}$

## 08 독립시행의 확률

본문 46쪽

01 $\frac{1}{2}$

02 $\frac{5}{16}$

03 $\frac{1}{3}$

04 $\frac{2}{9}$

05 $\frac{40}{243}$

06 $\frac{27}{64}$

07 $\frac{27}{128}$

08 $\frac{48}{125}$

09 $\frac{16}{27}$

10 $\frac{80}{81}$

11 $\frac{7}{144}$

12 $\frac{1}{8}$

13 $\frac{3}{8}$

14 $\frac{15}{64}$

15 $\frac{3}{32}$

# Ⅲ. 통계

## 01 확률변수와 확률분포 본문 52쪽

01 $S=\{(\mathrm{H}, \mathrm{H}), (\mathrm{H}, \mathrm{T}), (\mathrm{T}, \mathrm{H}), (\mathrm{T}, \mathrm{T})\}$

02 0, 1, 2

03 해설 참조

04 $S=\{\mathrm{BB}, \mathrm{BW}, \mathrm{WW}\}$

05 0, 1, 2

06 해설 참조

## 02 이산확률변수와 확률질량함수 본문 53쪽

01 이산확률변수이다.

02 이산확률변수가 아니다.

03 이산확률변수이다.

04 이산확률변수가 아니다.

05 $\mathrm{P}(X=x)=\frac{{}_3\mathrm{C}_x \times {}_4\mathrm{C}_{2-x}}{{}_7\mathrm{C}_2}$ $(x=0, 1, 2)$

06 해설 참조

07 $\frac{5}{7}$

08 $\mathrm{P}(X=x)=\frac{{}_2\mathrm{C}_x \times {}_4\mathrm{C}_{3-x}}{{}_6\mathrm{C}_3}$ $(x=0, 1, 2)$

09 해설 참조

10 $\frac{4}{5}$

11 $\frac{1}{3}$

12 $\frac{5}{12}$

13 $\frac{5}{6}$

14 $\frac{45}{56}$

15 $\frac{1}{6}$

16 $\frac{5}{6}$

17 $\frac{1}{2}$

18 $\frac{3}{8}$

19 $\frac{3}{4}$

20 $\frac{1}{10}$

21 $\frac{8}{7}$

22 $\frac{3}{4}$

23 $\frac{1}{2}$

## 03 이산확률변수의 기댓값(평균), 분산, 표준편차 본문 56쪽

01 $\frac{5}{2}$

02 $\frac{3}{4}$

03 $\frac{\sqrt{3}}{2}$

04 $\frac{7}{3}$

05 $\frac{11}{9}$

06 $\frac{\sqrt{11}}{3}$

07 $\frac{1}{4}$, $\frac{1}{2}$, $\frac{1}{4}$

08 $\mathrm{E}(X)=1$, $\mathrm{V}(X)=\frac{1}{2}$, $\sigma(X)=\frac{\sqrt{2}}{2}$

09 $\frac{3}{10}$, $\frac{3}{5}$, $\frac{1}{10}$

10 $\mathrm{E}(X)=\frac{4}{5}$, $\mathrm{V}(X)=\frac{9}{25}$, $\sigma(X)=\frac{3}{5}$

11 1

12 1

13 $\frac{\sqrt{5}}{3}$

14 500

15 350

16 1500

17 140

18 100

19 800

## 04 이산확률변수 $aX+b$의 평균, 분산, 표준편차 본문 59쪽

01 평균 : 20, 분산 : 16, 표준편차 : 4
02 평균 : 28, 분산 : 36, 표준편차 : 6
03 평균 : $-2$, 분산 : 1, 표준편차 : 1
04 11
05 7
06 10
07 7
08 33
09 $\sqrt{33}$
10 13
11 $\frac{\sqrt{33}}{2}$
12 $\frac{1}{6}$
13 $-1$
14 $\frac{4}{3}$
15 $2\sqrt{2}$
16 해설 참조
17 17
18 $\frac{140}{3}$
19 $\frac{2\sqrt{105}}{3}$
20 해설 참조
21 3
22 9
23 10

## 05 이항분포 본문 62쪽

01 $B\left(6, \frac{1}{2}\right)$
02 이항분포가 아니다.
03 $B\left(50, \frac{1}{3}\right)$
04 $B\left(4, \frac{1}{4}\right)$
05 $P(X=x)$
$={}_4C_x\left(\frac{1}{4}\right)^x\left(\frac{3}{4}\right)^{4-x}$
$(x=1, 2, 3, 4)$
06 $\frac{27}{128}$
07 $\frac{112}{243}$
08 4
09 $\frac{12}{5}$
10 $\frac{2\sqrt{15}}{5}$
11 $E(X)=10$, $V(X)=\frac{20}{3}$
12 $\frac{55}{2}$
13 100
14 50
15 25
16 5
17 1000
18 16
19 $4\sqrt{15}$
20 $\frac{85}{3}$
21 87
22 $\frac{3}{5}$, 5, $\frac{3}{5}$, 3, 3
23 $\frac{1}{5}$
24 6

## 06 연속확률변수와 확률밀도함수 본문 65쪽

01 연속확률변수
02 이산확률변수
03 연속확률변수
04 이산확률변수
05 $\frac{1}{2}$
06 $\frac{3}{16}$
07 $\frac{3}{4}$
08 $\frac{1}{5}$
09 $\frac{4}{5}$
10 $\frac{1}{2}$
11 $\frac{3}{4}$
12 $\frac{1}{4}$
13 $\frac{3}{4}$
14 $\frac{1}{2}$
15 $\frac{3}{4}$
16 $\frac{7}{12}$

## 07 정규분포 본문 67쪽

01 $N(10, 2^2)$
02 $N(7, 3^2)$
03 $N(4, 3^2)$
04 55
05 15
06 $N(55, 15^2)$

## 08 정규분포곡선의 성질 본문 68쪽

01 참
02 참
03 거짓
04 참
05 $m_1 < m_2$
06 $\sigma_1 > \sigma_2$
07 B학교
08 $2a$
09 $a+0.5$
10 $0.5-b$
11 0.4772
12 0.9772
13 20
14 40
15 19
16 40

## 09 표준정규분포 본문 70쪽

01 0.8664
02 0.044
03 0.1574
04 0.0228
05 0.9332
06 0.1587
07 0.9938
08 $Z=\frac{X-25}{3}$
09 $Z=\frac{X-40}{4}$
10 $Z=\frac{X-50}{10}$
11 2
12 0.7745
13 0.3072
14 0.6826
15 0.0228
16 0.0166
17 0.9759
18 0.9544
19 0.2417
20 27
21 50
22 1
23 200, $20^2$, $\frac{X-200}{20}$, $\frac{240-200}{20}$, 2, 0, 2, 0.5, 0.4772, 0.0228
24 38.3
25 668
26 30.72
27 13
28 334
29 10
30 218.4
31 420
32 0.3413

## 10 이항분포와 정규분포의 관계 본문 75쪽

01 $E(X)=300$, $\sigma(X)=15$

02 $N(300,\ 15^2)$

03 $Z=\frac{X-300}{15}$

04 0.1587

05 0.3085

06 0.0228

## 11 모집단과 표본 본문 76쪽

01 표본조사

02 전수조사

03 표본조사

04 전수조사

05 표본조사

06 9

07 6

08 3

## 12 모평균과 표본평균 본문 77쪽

01 $\frac{2}{9}$

02 $\frac{1}{3}$

03 $\frac{2}{9}$

04 $\overline{X}=2,\ 3,\ 4,\ 5,\ 6$

05 해설 참조

## 13 표본평균의 평균, 분산, 표준편차 본문 78쪽

01 40

02 $\frac{9}{25}$

03 $\frac{3}{5}$

04 40

05 1

06 $\frac{1}{18}$

07 $\frac{\sqrt{2}}{6}$

08 $\frac{1}{6}$

09 $E(\overline{X})=7$, $V(\overline{X})=1$

10 29

11 400

12 $\frac{13}{6}$

13 $\frac{17}{144}$

14 $\frac{\sqrt{17}}{12}$

15 $\frac{47}{16}$

## 14 표본평균의 분포 본문 80쪽

01 $E(\overline{X})=50$, $V(\overline{X})=4$

02 $N(50,\ 2^2)$

03 $Z=\frac{\overline{X}-50}{2}$

04 0.8185

05 0.1587

06 0.2417

07 0.8413

## 15 모평균의 추정 본문 81쪽

01 $19.608\le m\le 20.392$

02 $119.484\le m\le 120.516$

03 $49.02\le m\le 50.98$

04 $48.71\le m\le 51.29$

05 1.568

06 2.064

07 7

08 100

09 거짓

10 참

11 참

12 $\frac{1}{4}$

# I. 순열과 조합

## 01 원순열 본문 8쪽

**01** $(5-1)!=4!=24$

**02** $(7-1)!=6!=720$

**03** 여자 4명을 한 사람으로 생각하여 5명이 원탁에 둘러앉는 방법의 수는 $(5-1)!=4!=24$
여자끼리 자리를 바꾸는 방법의 수는 $4!=24$
따라서 구하는 방법의 수는 $24\times24=576$

**04** 남자 4명이 원탁에 둘러앉는 방법의 수는 $(4-1)!=3!=6$
남자 사이사이의 4개의 자리에 여자 4명을 앉히는 방법의 수는 ${}_4P_4=4!=24$
따라서 구하는 방법의 수는 $6\times24=144$

**05** 커플 2명을 한 사람으로 생각하여 3명이 원탁에 둘러앉는 방법의 수는 $(3-1)!=2!=2$
커플끼리 자리를 바꾸는 방법의 수는 각각 $2!=2$
따라서 구하는 방법의 수는 $2\times2\times2\times2=16$

**06** 남학생 3명이 원탁에 둘러앉는 방법의 수는 $(3-1)!=2!=2$
남학생들 사이사이의 3개의 자리에 여학생 3명을 앉히는 방법의 수는 $3!=6$
따라서 구하는 방법의 수는 $2\times6=12$

**07** 반장의 자리가 결정되면 부반장의 자리는 마주 보는 자리에 고정된다.
따라서 구하는 방법의 수는 남은 4개의 자리에 4명을 일렬로 배열하는 방법의 수와 같으므로
$4!=24$

**08** 부모와 수철이를 한 사람으로 생각하여 4명이 원탁에 둘러앉는 방법의 수는 $(4-1)!=3!=6$
부모가 자리를 바꾸는 방법의 수는 $2!=2$
따라서 구하는 방법의 수는 $6\times2=12$

**10** 6명이 원형으로 둘러앉는 방법의 수는 $(6-1)!=5!=120$
이때 원형으로 둘러앉는 한 가지 방법에 대하여 정삼각형 모양의 탁자에서는 다음 그림과 같이 서로 다른 경우가 2가지씩 존재한다.

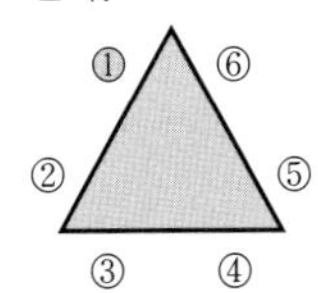


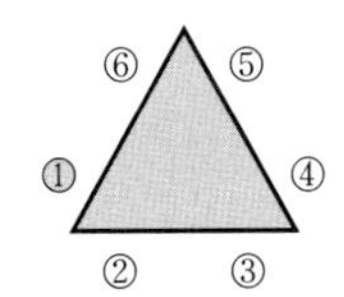


따라서 구하는 방법의 수는 $120\times2=240$

**11** 6명이 원형으로 둘러앉는 방법의 수는 $(6-1)!=5!=120$
이때 원형으로 둘러앉는 한 가지 방법에 대하여 직사각형 모양의 탁자에서는 다음 그림과 같이 서로 다른 경우가 3가지씩 존재한다.

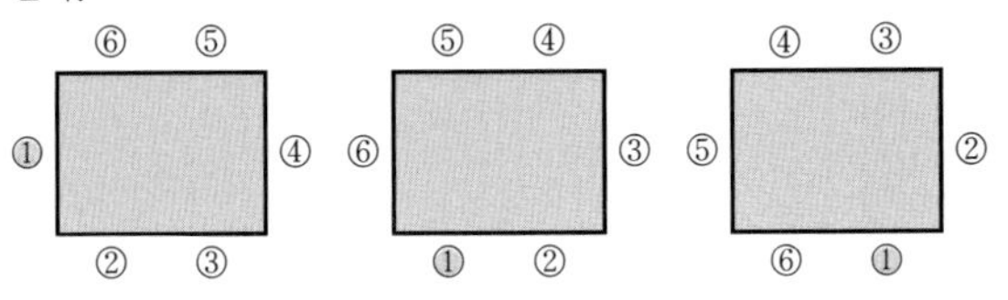


따라서 구하는 방법의 수는 $120\times3=360$

**12** 8명이 원형으로 둘러앉는 방법의 수는 $(8-1)!=7!=5040$
이때 원형으로 둘러앉는 한 가지 방법에 대하여 정삼각형 모양의 탁자에서는 다음 그림과 같이 서로 다른 경우가 2가지씩 존재한다.

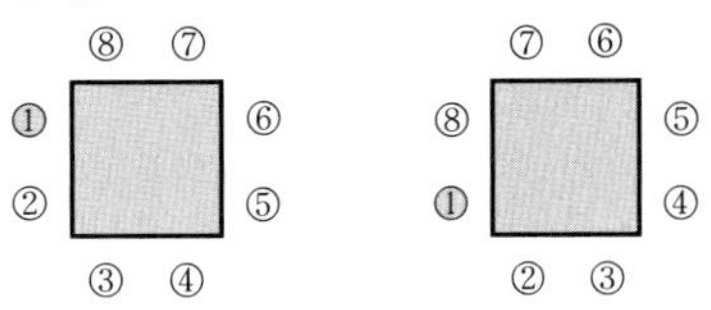


따라서 구하는 방법의 수는 $5040\times2=10080$

**13** 5명이 원형으로 둘러앉는 방법의 수는
$(5-1)!=4!=24$
이때 원형으로 둘러앉는 한 가지 방법에 대하여 주어진 모양의 탁자에서는 다음 그림과 같이 서로 다른 경우가 5가지씩 존재한다.

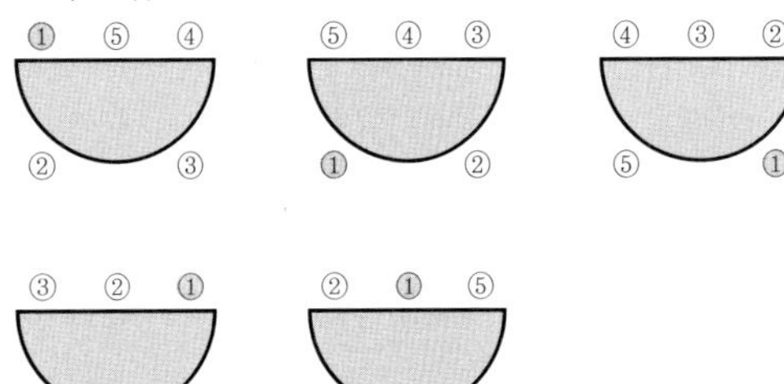


③ ② ①
④ ⑤
② ① ⑤
③ ④

따라서 구하는 방법의 수는 $24\times5=120$

**14** 10명이 원형으로 둘러앉는 방법의 수는 $(10-1)!=9!$
이때 원형으로 둘러앉는 한 가지 방법에 대하여 정오각형 모양의 탁자에서는 다음 그림과 같이 서로 다른 경우가 2가지씩 존재한다.

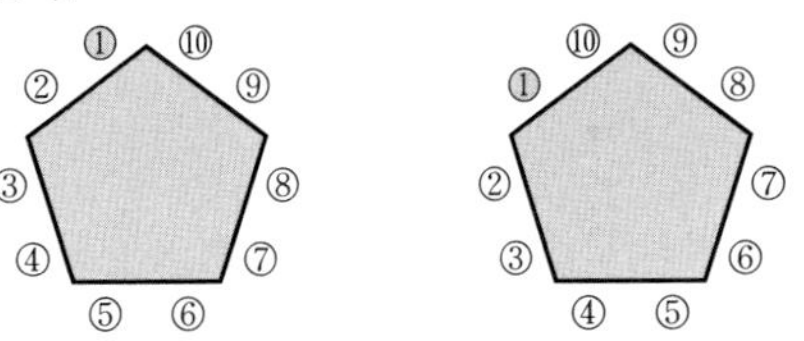


따라서 구하는 방법의 수는 $2\times9!$

**15** 4가지 색을 원형으로 배열하는 방법의 수와 같으므로
$(4-1)!=3!=6$

**16** 가운데 삼각형을 색칠하는 방법은 4가지이고, 나머지 3개의 삼각형을 색칠하는 방법의 수는
$(3-1)!=2!=2$
따라서 구하는 방법의 수는 $4\times2=8$

**17** 가운데 원을 색칠하는 방법은 5가지이고, 나머지 4개의 영역을 색칠하는 방법의 수는
$(4-1)!=3!=6$
따라서 구하는 방법의 수는 $5\times6=30$

**18** 특정한 색을 밑면에 색칠하는 방법 4가지와 나머지 3가지 색을 옆면에 색칠하면 되므로 구하는 방법의 수는
$(3-1)!=2!=2$
따라서 구하는 방법의 수는 $4\times2=8$

**19** 사각뿔의 밑면을 색칠하는 방법은 5가지이고, 밑면을 제외한 4가지 색을 옆면에 칠하는 방법의 수는
$(4-1)!=3!=6$

따라서 구하는 방법의 수는 $5\times6=30$

**20** 사각뿔대의 윗면과 아랫면을 색칠하는 방법의 수는
$_6P_2=30$
윗면과 아랫면에 색칠한 색을 제외한 4가지 색을 옆면에 칠하는 방법의 수는
$(4-1)!=3!=6$
따라서 구하는 방법의 수는 $30\times6=180$

## 02 중복순열 본문 11쪽

**01** $_7\Pi_2=7^2=49$

**02** $_2\Pi_5=2^5=32$

**03** $_3\Pi_3=3^3=27$

**04** $_5\Pi_0=5^0=1$

**05** $_n\Pi_3=n^3$이므로 $n^3=64=4^3$
$\therefore n=4$

**06** $_2\Pi_r=2^r$이므로 $2^r=128=2^7$
$\therefore r=7$

**07** 2가지 부호가 중복이 가능하므로 구하는 신호의 개수는 서로 다른 2개에서 중복을 허용하여 5개를 택하는 중복순열의 수와 같다.
$\therefore {_2\Pi_5}=2^5=32$

**08** 3가지 깃발이 중복이 가능하므로 구하는 신호의 개수는 서로 다른 3개에서 중복을 허용하여 4개를 택하는 중복순열의 수와 같다.
$\therefore {_3\Pi_4}=3^4=81$

**09** 서로 다른 2개에서 중복을 허용하여 4개를 택하는 중복순열의 수와 같으므로
$_2\Pi_4=2^4=16$

**10** 서로 다른 3개의 방에서 중복을 허용하여 4개를 택하는 중복순열의 수와 같으므로
$_3\Pi_4=3^4=81$

**12** 1, 2, 3의 3개에서 4개를 택하는 중복순열의 수와 같으므로
$_3\Pi_4=3^4=81$

**13** 일의 자리의 숫자가 될 수 있는 것은 2, 4의 2가지
천의 자리, 백의 자리, 십의 자리의 숫자를 택하는 방법의 수는 1, 2, 3, 4, 5의 5개에서 중복을 허용하여 3개를 택하는 중복순열의 수와 같으므로
$_5\Pi_3=5^3=125$
따라서 구하는 짝수의 개수는 $2\times125=250$

**14** 3200보다 큰 수는 32□□, 33□□, 34□□, 4□□□의 꼴이다.
(i) 32□□, 33□□, 34□□의 꼴인 자연수의 개수
각각의 경우에 대하여 십의 자리와 일의 자리에는 4개의 숫자 중에서 중복을 허용하여 2개를 택하는 중복순열의 수와 같으므로
$3\times{_4\Pi_2}=3\times4^2=48$
(ii) 4□□□의 꼴인 자연수의 개수
백의 자리, 십의 자리, 일의 자리에는 4개의 숫자 중에서 중복을 허용하여 3개를 택하는 중복순열의 수와 같으므로
$_4\Pi_3=4^3=64$
(i), (ii)에 의하여 구하는 자연수의 개수는
$48+64=112$

**15** 함수의 개수는 $Y$의 4개의 원소 $a$, $b$, $c$, $d$에서 중복을 허용하여 3개를 택하여 $X$의 3개의 원소 1, 2, 3에 대응시키는 방법의 수와 같으므로
$_4\Pi_3=4^3=64$

**16** 함수의 개수는 $Y$의 3개의 원소 $p$, $q$, $r$에서 중복을 허용하여 4개를 택하여 $X$의 4개의 원소 $a$, $b$, $c$, $d$에 대응시키는 방법의 수와 같으므로
$_3\Pi_4=3^4=81$

**17** 일대일함수의 개수는 $Y$의 5개의 원소 $a$, $b$, $c$, $d$, $e$에서 서로 다른 3개를 택하여 $X$의 3개의 원소 1, 2, 3에 대응시키는 방법의 수와 같으므로
$_5P_3=60$

**18** $f(3)=b$이므로 3에 $b$를 대응시키면 $Y$의 4개의 원소 $a$, $b$, $c$, $d$에서 중복을 허용하여 3개를 택하여 $X$의 3개의 원소 1, 2, 4에 대응시키면 된다.
따라서 구하는 함수의 개수는 $_4\Pi_3=4^3=64$

## 03 같은 것이 있는 순열 본문 13쪽

**01** 4개의 숫자 중에서 3이 3개 있으므로 구하는 방법의 수는
$\frac{4!}{3!}=4$

**02** 5개의 문자 중에서 $a$가 2개, $b$가 3개 있으므로 구하는 방법의 수는
$\frac{5!}{2!3!}=10$

**03** 7개의 숫자 중에서 1이 2개, 3이 4개 있으므로 구하는 방법의 수는
$\frac{7!}{2!4!}=105$

**04** 7개의 문자 중에서 $p$가 2개, $q$가 3개, $r$가 2개 있으므로 구하는 방법의 수는
$\frac{7!}{2!3!2!}=210$

**05** 9개의 숫자 중에서 2가 2개, 3이 3개, 4가 4개 있으므로 구하는 방법의 수는
$\frac{9!}{2!3!4!}=1260$

**06** 4개의 숫자 중에서 1이 2개 있으므로 구하는 정수의 개수는
$\frac{4!}{2!}=12$

**07** 7개의 숫자 중에서 2가 2개, 3이 3개 있으므로 구하는 정수의 개수는
$\frac{7!}{2!3!}=420$

**08** 5개의 숫자 0, 1, 3, 4, 4를 일렬로 나열하는 방법의 수는

$\frac{5!}{2!}=60$

맨 앞자리에 0이 오는 방법의 수는 $\frac{4!}{2!}=12$

따라서 구하는 정수의 개수는 $60-12=48$

**09** (i) 일의 자리의 숫자가 0인 경우

4개의 숫자 3, 3, 4, 4를 일렬로 나열하는 방법의 수는 $\frac{4!}{2!2!}=6$

(ii) 일의 자리의 숫자가 4인 경우

4개의 숫자 0, 3, 3, 4를 일렬로 나열하는 방법의 수는 $\frac{4!}{2!}=12$

이때 맨 앞자리에 0이 오는 방법의 수는 $\frac{3!}{2!}=3$

$\therefore 12-3=9$

(i), (ii)에 의하여 구하는 정수의 개수는 $6+9=15$

**11** p와 g를 제외한 6의 문자 r, i, n, t, i, n을 일렬로 나열하는 방법의 수는 $\frac{6!}{2!2!}=180$

양 끝에 p와 g를 나열하는 방법의 수는 $2!=2$

따라서 구하는 방법의 수는 $180\times2=360$

**12** 모음 u와 e를 제외한 5개의 문자 s, t, d, n, t를 일렬로 나열하는 방법의 수는 $\frac{5!}{2!}=60$

양 끝에 u와 e를 나열하는 방법의 수는 $2!=2$

따라서 구하는 방법의 수는 $60\times2=120$

**13** 모음 a, e, a를 한 문자 X로 생각하여 6개의 문자 X, b, s, b, l, l을 일렬로 나열하는 방법의 수는 $\frac{6!}{2!2!}=180$

모음끼리 자리를 바꾸는 방법의 수는 $\frac{3!}{2!}=3$

따라서 구하는 방법의 수는 $180\times3=540$

**14** A, B를 제외한 5개의 문자 C, C, D, D, D를 일렬로 나열하는 방법의 수는 $\frac{5!}{2!3!}=10$

C, C, D, D, D의 사이사이와 양 끝의 6개의 자리에 A, B를 나열하는 방법의 수는 ${}_6P_2=30$

따라서 구하는 방법의 수는 $10\times30=300$

**15** B, E의 순서가 정해져 있으므로 B, E를 모두 X로 생각하여 5개의 문자 A, X, C, D, X를 일렬로 나열한 후 첫 번째 X는 B, 두 번째 X는 E로 바꾸면 된다.

따라서 구하는 방법의 수는 $\frac{5!}{2!}=60$

**16** 4, 5, 6의 순서가 정해져 있으므로 4, 5, 6을 모두 X로 생각하여 6개의 문자 2, 2, 3, X, X, X를 일렬로 나열한 후 첫 번째 X는 4, 두 번째 X는 5, 세 번째 X는 6으로 바꾸면 된다.

따라서 구하는 방법의 수는 $\frac{6!}{2!3!}=60$

**17** A, D와 B, E의 순서가 각각 정해져 있으므로 A, D를 모두 X로, B, E를 모두 Y로 생각하여 6개의 문자 X, Y, C, X, Y, F를 일렬로 나열한 후 첫 번째 X는 A, 두 번째 X는 D로, 첫 번째 Y는 B, 두 번째 Y는 E로 바꾸면 된다.

따라서 구하는 방법의 수는 $\frac{6!}{2!2!}=180$

**18** 최단 거리로 가려면 오른쪽으로 3칸, 위쪽으로 2칸을 가야 한다.

오른쪽으로 한 칸 가는 것을 $a$, 위쪽으로 한 칸 가는 것을 $b$로 나타내면 구하는 방법의 수는 $a$, $a$, $a$, $b$, $b$를 일렬로 나열하는 방법의 수와 같으므로 구하는 방법의 수는

$\frac{5!}{3!2!}=10$

**19** 최단 거리로 가려면 오른쪽으로 5칸, 위쪽으로 4칸을 가야 하므로 구하는 방법의 수는

$\frac{9!}{5!4!}=126$

**20** A에서 P까지 최단 거리로 가는 방법의 수는 $\frac{3!}{2!}=3$

P에서 B까지 최단 거리로 가는 방법의 수는 $\frac{3!}{2!}=3$

따라서 구하는 방법의 수는 $3\times3=9$

**21** A에서 P까지 최단 거리로 가는 방법의 수는 $\frac{6!}{4!2!}=15$

P에서 B까지 최단 거리로 가는 방법의 수는 $\frac{4!}{2!2!}=6$

따라서 구하는 방법의 수는 $15\times6=90$

**22** 오른쪽 그림과 같이 두 지점 P, Q를 잡으면 A에서 B까지 최단 거리로 가는 방법은 다음과 같다.

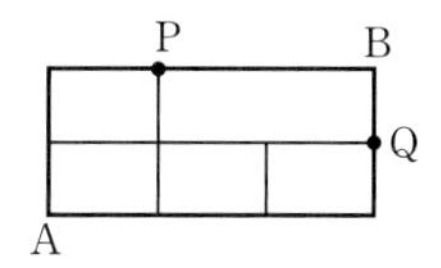


A → P → B, A → Q → B

(i) A → P → B의 경우 $\frac{3!}{2!}\times1=3$

(ii) A → Q → B의 경우 $\frac{4!}{3!}\times1=4$

(i), (ii)에서 구하는 방법의 수는 $3+4=7$

**23** 오른쪽 그림과 같이 세 지점 P, Q, R를 잡으면 A에서 B까지 최단 거리로 가는 방법은 다음과 같다.

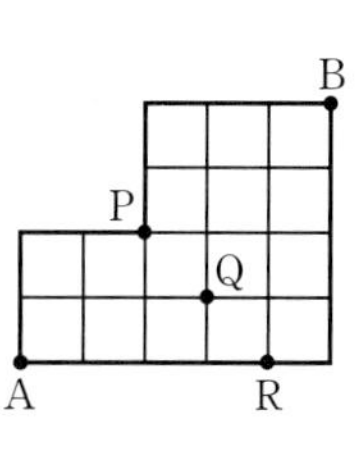


A → P → B, A → Q → B, A → R → B

(i) A → P → B의 경우

$\frac{4!}{2!2!}\times\frac{5!}{3!2!}=6\times10=60$

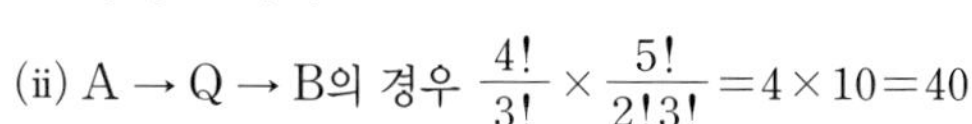

(ii) A → Q → B의 경우 $\frac{4!}{3!}\times\frac{5!}{2!3!}=4\times10=40$

(iii) A → R → B의 경우 $1\times\frac{5!}{4!}=1\times5=5$

(i), (ii), (iii)에서 구하는 방법의 수는 $60+40+5=105$

**24** 오른쪽 그림과 같이 두 지점 P, Q를 잡으면 A에서 B까지 최단 거리로 가는 방법은 다음과 같다.

A → P → B, A → Q → B

(i) A → P → B의 경우 $1\times\frac{4!}{3!}=4$

(ii) A → Q → B의 경우 $1\times\frac{6!}{5!}=6$

(i), (ii)에서 구하는 방법의 수는 $4+6=10$

## 04 중복조합 본문 16쪽

**01** ${}_4H_1={}_{4+1-1}C_1={}_4C_1=4$

**02** ${}_3H_2={}_{3+2-1}C_2={}_4C_2=\frac{4\times3}{2\times1}=6$

**03** ${}_2H_4={}_{2+4-1}C_4={}_5C_4=5$

**04** ${}_5H_0={}_{5+0-1}C_0={}_4C_0=1$

**05** ${}_5H_3={}_{5+3-1}C_3={}_7C_3$이므로 $n=7$

**06** ${}_2H_3={}_{2+3-1}C_3={}_4C_3={}_4C_1$이므로 $n=4$

**07** ${}_nH_2={}_{n+2-1}C_2={}_{n+1}C_2=10$이므로

$\frac{n(n+1)}{2\times1}=10$, $n(n+1)=20=4\times5$

$\therefore n=4$

**08** ${}_nH_3={}_{n+3-1}C_3={}_{n+2}C_3=20$이므로

$\frac{n(n+1)(n+2)}{3\times2\times1}=20$, $n(n+1)(n+2)=4\times5\times6$

$\therefore n=4$

**09** 서로 다른 3개에서 6개를 택하는 중복조합의 수와 같으므로

${}_3H_6={}_{3+6-1}C_6={}_8C_6={}_8C_2=\frac{8\times7}{2\times1}=28$

**10** 서로 다른 4개에서 3개를 택하는 중복조합의 수와 같으므로

${}_4H_3={}_{4+3-1}C_3={}_6C_3=\frac{6\times5\times4}{3\times2\times1}=20$

**11** 서로 다른 5개에서 7개를 택하는 중복조합의 수와 같으므로

${}_5H_7={}_{5+7-1}C_7={}_{11}C_7={}_{11}C_4=\frac{11\times10\times9\times8}{4\times3\times2\times1}=330$

**12** 서로 다른 4개에서 10개를 택하는 중복조합의 수와 같으므로

${}_4H_{10}={}_{4+10-1}C_{10}={}_{13}C_{10}={}_{13}C_3=\frac{13\times12\times11}{3\times2\times1}=286$

**13** 서로 다른 4개에서 6개를 택하는 중복조합의 수와 같으므로

${}_4H_6={}_{4+6-1}C_6={}_9C_6={}_9C_3=\frac{9\times8\times7}{3\times2\times1}=84$

**14** 서로 다른 4개에서 8개를 택하는 중복조합의 수와 같으므로

${}_4H_8={}_{4+8-1}C_8={}_{11}C_8={}_{11}C_3=\frac{11\times10\times9}{3\times2\times1}=165$

**15** 먼저 4명의 학생에게 음료수를 한 개씩 주면 음료수가 4개가 남는다.
따라서 구하는 방법의 수는 서로 다른 4개에서 4개를 택하는 중복조합의 수와 같으므로

${}_4H_4={}_{4+4-1}C_4={}_7C_4={}_7C_3=\frac{7\times6\times5}{3\times2\times1}=35$

**16** 무기명 투표는 어느 유권자가 어느 후보를 뽑았는지 알 수 없으므로 구하는 방법의 수는 서로 다른 2개에서 7개를 택하는 중복조합의 수와 같다.

$\therefore a={}_2H_7={}_{2+7-1}C_7={}_8C_7={}_8C_1=8$

기명 투표는 어느 유권자가 어느 후보를 뽑았는지 알 수 있으므로 구하는 방법의 수는 서로 다른 2개에서 9개를 택하는 중복순열의 수와 같다.

$\therefore b={}_2\Pi_7=2^7=128$ $\quad\therefore a+b=136$

**17** 서로 다른 3개의 문자 $x$, $y$, $z$에서 7개를 택하는 중복조합의 수와 같으므로

${}_3H_7={}_{3+7-1}C_7={}_9C_7={}_9C_2=\frac{9\times8}{2\times1}=36$

**18** $x$, $y$, $z$가 모두 양의 정수해이므로 $x\geq1$, $y\geq1$, $z\geq1$
$x-1=a$, $y-1=b$, $z-1=c$로 놓으면
$x=a+1$, $y=b+1$, $z=c+1$
이를 방정식 $x+y+z=7$에 대입하면
$a+1+b+1+c+1=7$
$\therefore a+b+c=4$ (단, $a\geq0$, $b\geq0$, $c\geq0$) ……㉠
즉, 구하는 양의 정수해의 개수는 방정식 ㉠의 음이 아닌 정수해의 개수와 같으므로

${}_3H_4={}_{3+4-1}C_4={}_6C_4={}_6C_2=\frac{6\times5}{2\times1}=15$

**19** 서로 다른 3개의 문자 $x$, $y$, $z$에서 12개를 택하는 중복조합의 수와 같으므로

${}_3H_{12}={}_{3+12-1}C_{12}={}_{14}C_{12}={}_{14}C_2=\frac{14\times13}{2\times1}=91$

**20** $x$, $y$, $z$가 모두 양의 정수해이므로 $x\geq1$, $y\geq1$, $z\geq1$
$x-1=a$, $y-1=b$, $z-1=c$로 놓으면
$x=a+1$, $y=b+1$, $z=c+1$
이를 방정식 $x+y+z=12$에 대입하면
$a+1+b+1+c+1=12$
$\therefore a+b+c=9$ (단, $a\geq0$, $b\geq0$, $c\geq0$) ……㉠
즉, 구하는 양의 정수해의 개수는 방정식 ㉠의 음이 아닌 정수해의 개수와 같으므로

${}_3H_9={}_{3+9-1}C_9={}_{11}C_9={}_{11}C_2=\frac{11\times10}{2\times1}=55$

**21** $(x+y)^4$을 전개할 때 생기는 각 항은 $x^py^q$꼴이고
$p+q=4$ ($p$, $q$는 음이 아닌 정수)
따라서 구하는 항의 개수는 2개의 문자 $x$, $y$에서 4개를 택하는 중복조합의 수와 같으므로
${}_2H_4={}_{2+4-1}C_4={}_5C_4={}_5C_1=5$

**22** $(x+y+z)^4$을 전개할 때 생기는 각 항은 $x^py^qz^r$꼴이고
$p+q+r=4$ ($p$, $q$, $r$는 음이 아닌 정수)
따라서 구하는 항의 개수는 3개의 문자 $x$, $y$, $z$에서 4개를 택하는 중복조합의 수와 같으므로

${}_3H_4={}_{3+4-1}C_4={}_6C_4={}_6C_2=\frac{6\times5}{2\times1}=15$

**23** 구하는 항의 개수는 3개의 문자 $x$, $y$, $z$에서 5개를 택하는 중복조합의 수와 같으므로

${}_3H_5={}_{3+5-1}C_5={}_7C_5={}_7C_2=\frac{7\times6}{2\times1}=21$

**24** 구하는 항의 개수는 3개의 문자 $x$, $y$, $z$에서 8개를 택하는 중복조합의 수와 같으므로

${}_3H_8={}_{3+8-1}C_8={}_{10}C_8={}_{10}C_2=\frac{10\times9}{2\times1}=45$

## 05 이항정리 본문 19쪽

**01** $(x+y)^5$
$={}_5C_0x^5+{}_5C_1x^4y+{}_5C_2x^3y^2+{}_5C_3x^2y^3+{}_5C_4xy^4+{}_5C_5y^5$
$=x^5+5x^4y+10x^3y^2+10x^2y^3+5xy^4+y^5$

**02** $(x-2)^4$
$={}_4C_0x^4+{}_4C_1x^3(-2)+{}_4C_2x^2(-2)^2+{}_4C_3x(-2)^3+{}_4C_4(-2)^4$
$=x^4-8x^3+24x^2-32x+16$

**03** $(2a+b)^6$
$={}_6C_0(2a)^6+{}_6C_1(2a)^5b+{}_6C_2(2a)^4b^2+{}_6C_3(2a)^3b^3$
$+{}_6C_4(2a)^2b^4+{}_6C_5(2a)b^5+{}_6C_6b^6$
$=64a^6+192a^5b+240a^4b^2+160a^3b^3+60a^2b^4+12ab^5+b^6$

**04** $\left(x+\frac{2}{x}\right)^3={}_3C_0x^3+{}_3C_1x^2\left(\frac{2}{x}\right)+{}_3C_2x\left(\frac{2}{x}\right)^2+{}_3C_3\left(\frac{2}{x}\right)^3$
$=x^3+6x+\frac{12}{x}+\frac{8}{x^3}$

**05** $(a+b)^8$의 전개식의 일반항은 ${}_8C_ra^{8-r}b^r$
$a^{8-r}b^r=a^3b^5$에서 $r=5$
따라서 $a^3b^5$의 계수는 ${}_8C_5=56$

**06** $(2x-3y)^4$의 전개식의 일반항은
${}_4C_r(2x)^{4-r}(-3y)^r={}_4C_r2^{4-r}(-3)^rx^{4-r}y^r$
$x^{4-r}y^r=xy^3$에서 $r=3$
따라서 $xy^3$의 계수는 ${}_4C_3\cdot 2\cdot(-3)^3=-216$

**07** $\left(x-\frac{1}{x}\right)^6$의 전개식의 일반항은
${}_6C_rx^{6-r}\left(-\frac{1}{x}\right)^r={}_6C_r(-1)^rx^{6-2r}$
상수항은 $6-2r=0$일 때이므로 $r=3$
따라서 상수항은 ${}_6C_3\cdot(-1)^3=-20$

**08** $(1+ax)^5$의 전개식의 일반항은
${}_5C_r(ax)^r={}_5C_ra^rx^r$
$x^r=x^4$에서 $r=4$
이때 $x^4$의 계수가 80이므로
${}_5C_4\cdot a^4=80$, $a^4=16$ $\quad\therefore a=2\ (\because a>0)$

**10** $(x+1)^3$의 전개식의 일반항은
${}_3C_rx^r$
$(2-x)^4$의 전개식의 일반항은
${}_4C_s2^{4-s}(-x)^s={}_4C_s2^{4-s}(-1)^sx^s$
따라서 $(x+1)^3(2-x)^4$의 전개식의 일반항은
${}_3C_rx^r\cdot{}_4C_s2^{4-s}(-1)^sx^s={}_3C_r\cdot{}_4C_s(-1)^s2^{4-s}x^{r+s}$
$x$항은 $r+s=1$ ($0\le r\le 3$, $0\le s\le 4$인 정수)일 때이므로
(i) $r=1$, $s=0$인 경우
${}_3C_1\cdot{}_4C_0\cdot(-1)^0\cdot 2^4=48$
(ii) $r=0$, $s=1$인 경우
${}_3C_0\cdot{}_4C_1\cdot(-1)^1\cdot 2^3=-32$
(i), (ii)에 의하여 $x$의 계수는
$48+(-32)=16$

**11** $(2+x^2)^2$의 전개식의 일반항은
${}_2C_r2^{2-r}(x^2)^r={}_2C_r2^{2-r}x^{2r}$
$(1+2x)^5$의 전개식의 일반항은
${}_5C_s(2x)^s={}_5C_s2^sx^s$
따라서 $(2+x^2)^2(1+2x)^5$의 전개식의 일반항은
${}_2C_r2^{2-r}x^{2r}\cdot{}_5C_s2^sx^s={}_2C_r\cdot{}_5C_s2^{2-r+s}x^{2r+s}$
$x^2$항은 $2r+s=2$ ($0\le r\le 2$, $0\le s\le 5$인 정수)일 때이므로
(i) $r=0$, $s=2$인 경우
${}_2C_0\cdot{}_5C_2\cdot 2^4=160$
(ii) $r=1$, $s=0$인 경우
${}_2C_1\cdot{}_5C_0\cdot 2=4$
(i), (ii)에 의하여 $x^2$의 계수는
$160+4=164$

**13** $(2x+y+3z)^8$의 전개식의 일반항은
$\frac{8!}{p!q!r!}(2x)^py^q(3z)^r=\frac{8!}{p!q!r!}2^p3^rx^py^qz^r$
(단, $p+q+r=8$, $p\ge 0$, $q\ge 0$, $r\ge 0$인 정수)
$x^py^qz^r=x^2y^5z$에서 $p=2$, $q=5$, $r=1$
따라서 $x^2y^5z$의 계수는
$\frac{8!}{2!\cdot 5!\cdot 1!}\cdot 2^2\cdot 3=2016$

**14** $\left(x+\frac{1}{x}+1\right)^6$의 전개식의 일반항은
$\frac{6!}{p!q!r!}x^p\left(\frac{1}{x}\right)^q=\frac{6!}{p!q!r!}x^{p-q}$
(단, $p+q+r=6$, $p\ge 0$, $q\ge 0$, $r\ge 0$인 정수)
$x^{p-q}=x^5$에서 $p=5$, $q=0$, $r=1$
따라서 $x^5$의 계수는
$\frac{6!}{5!\cdot 0!\cdot 1!}=6$

**15** $(4x^2+2x-1)^5$의 전개식의 일반항은
$\frac{5!}{p!q!r!}(4x^2)^p(2x)^q(-1)^r=\frac{5!}{p!q!r!}4^p2^q(-1)^rx^{2p+q}$
(단, $p+q+r=5$, $p\ge 0$, $q\ge 0$, $r\ge 0$인 정수)
$x^{2p+q}=x^3$에서
$p=0$, $q=3$, $r=2$ 또는 $p=1$, $q=1$, $r=3$
따라서 $x^3$의 계수는
$\frac{5!}{0!\cdot 3!\cdot 2!}\cdot 4^0\cdot 2^3\cdot(-1)^2+\frac{5!}{1!\cdot 1!\cdot 3!}\cdot 4^1\cdot 2^1\cdot(-1)^3$
$=-80$

## 06 파스칼의 삼각형 본문 21쪽

**01** ${}_7C_2+{}_7C_3={}_8C_3$

**02** ${}_4C_3+{}_4C_4={}_5C_4$

**03** ${}_5C_2+{}_5C_3+{}_6C_2={}_6C_3+{}_6C_2={}_7C_3$

**04** ${}_3C_2+{}_3C_1+{}_4C_1+{}_5C_1={}_4C_2+{}_4C_1+{}_5C_1$
$={}_5C_2+{}_5C_1={}_6C_2$

**05** ${}_2C_0+{}_2C_1+{}_3C_2+{}_4C_3={}_3C_1+{}_3C_2+{}_4C_3$
$={}_4C_2+{}_4C_3={}_5C_3$

**06** ${}_3C_3+{}_4C_3+{}_5C_3+{}_6C_3$
$={}_4C_4+{}_4C_3+{}_5C_3+{}_6C_3$ ($\because {}_3C_3={}_4C_4$)
$={}_5C_4+{}_5C_3+{}_6C_3$
$={}_6C_4+{}_6C_3$
$={}_7C_4=35$

**07** $A={}_4C_1+{}_5C_2+{}_6C_3+{}_7C_4$라고 하면
${}_4C_0+A={}_4C_0+{}_4C_1+{}_5C_2+{}_6C_3+{}_7C_4$
$={}_5C_1+{}_5C_2+{}_6C_3+{}_7C_4$
$={}_6C_2+{}_6C_3+{}_7C_4$
$={}_7C_3+{}_7C_4$
$={}_8C_4=70$
$\therefore A=70-{}_4C_0=69$

**08** ${}_2C_0+{}_3C_1+{}_4C_2+\cdots+{}_{10}C_8$

$={}_3C_0+{}_3C_1+{}_4C_2+\cdots+{}_{10}C_8$ ($\because {}_2C_0={}_3C_0$)
$={}_4C_1+{}_4C_2+\cdots+{}_{10}C_8$
$={}_5C_2+\cdots+{}_{10}C_8$
$\vdots$
$={}_{10}C_7+{}_{10}C_8={}_{11}C_8$

## 07 이항계수의 성질 본문 22쪽

**01** ${}_4C_0+{}_4C_1+{}_4C_2+{}_4C_3+{}_4C_4=2^4=16$

**02** ${}_{10}C_0+{}_{10}C_1+{}_{10}C_2+\cdots+{}_{10}C_{10}=2^{10}=1024$

**03** ${}_6C_0+{}_6C_1+{}_6C_2+{}_6C_3+\cdots+{}_6C_6=2^6$이므로
${}_6C_1+{}_6C_2+{}_6C_3+\cdots+{}_6C_6=2^6-{}_6C_0=2^6-1=63$

**04** ${}_nC_0+{}_nC_1+{}_nC_2+\cdots+{}_nC_n=2^n$이므로
$2^n=128=2^7 \quad \therefore n=7$

**05** ${}_nC_1+{}_nC_2+{}_nC_3+\cdots+{}_nC_n=2^n-1$이므로
$2^n-1=255,\ 2^n=256=2^8 \quad \therefore n=8$

**06** ${}_9C_0+{}_9C_1+{}_9C_2+\cdots+{}_9C_9=2^9$ ……㉠
${}_9C_0-{}_9C_1+{}_9C_2-\cdots-{}_9C_9=0$ ……㉡
㉠－㉡을 하면
$2({}_9C_1+{}_9C_3+{}_9C_5+{}_9C_7+{}_9C_9)=2^9$
$\therefore {}_9C_1+{}_9C_3+{}_9C_5+{}_9C_7+{}_9C_9=2^8=256$

**07** ${}_{12}C_0+{}_{12}C_1+{}_{12}C_2+\cdots+{}_{12}C_{12}=2^{12}$ ……㉠
${}_{12}C_0-{}_{12}C_1+{}_{12}C_2-\cdots+{}_{12}C_{12}=0$ ……㉡
㉠＋㉡을 하면
$2({}_{12}C_0+{}_{12}C_2+{}_{12}C_4+\cdots+{}_{12}C_{12})=2^{12}$
$\therefore {}_{12}C_0+{}_{12}C_2+{}_{12}C_4+\cdots+{}_{12}C_{12}=2^{11}$

**08** ${}_{10}C_0-{}_{10}C_1+{}_{10}C_2-\cdots-{}_{10}C_9+{}_{10}C_{10}=0$에서
${}_{10}C_0-({}_{10}C_1-{}_{10}C_2+\cdots+{}_{10}C_9)+{}_{10}C_{10}=0$
$\therefore {}_{10}C_1-{}_{10}C_2+\cdots+{}_{10}C_9={}_{10}C_0+{}_{10}C_{10}=1+1=2$

**09** ${}_nC_1+{}_nC_2+{}_nC_3+\cdots+{}_nC_n=2^n-1$이므로
$1000<{}_nC_1+{}_nC_2+{}_nC_3+\cdots+{}_nC_n<2000$에서
$1000<2^n-1<2000,\ 1001<2^n<2001$
이때 $2^9=512,\ 2^{10}=1024,\ 2^{11}=2048$이므로
$n=10$

# Ⅱ. 확률

## 01 시행과 사건 본문 28쪽

**09** $A=\{1, 3, 5\},\ B=\{2, 3, 5\}$이므로
$A\cup B=\{1, 2, 3, 5\}$

**13** $A=\{2, 4, 6, 8, 10, 12, 14\},\ B=\{5, 10, 15\}$이므로
$A\cup B=\{2, 4, 5, 6, 8, 10, 12, 14, 15\}$

**16** $A^C\cap B^C=(A\cup B)^C=\{1, 3, 7, 9, 11, 13\}$

**17** 동전의 앞면을 H, 뒷면을 T라고 하면
$A=\{TTT\}$
$B=\{HTT, THT, TTH\}$
$C=\{HTT, THT, TTH, HHT, HTH, THH, HHH\}$
$A\cap B=\varnothing,\ A\cap C=\varnothing$이므로 $A$와 $B$, $A$와 $C$는 서로 배반사건이다.

**18** 사건 $B$와 배반인 사건은 사건 $B^C$의 부분집합이므로 사건 $B$와 배반인 사건의 개수는 사건 $B^C$의 부분집합의 개수와 같다.
$B^C=\{TTT, HHT, HTH, THH, HHH\}$
이므로 사건 $B^C$의 부분집합의 개수는 $2^5=32$

**19** 사건 $A$와 배반인 사건은 사건 $A^C$의 부분집합이고, 사건 $B$와 배반인 사건은 사건 $B^C$의 부분집합이므로 사건 $A$, $B$와 모두 배반인 사건은 $A^C\cap B^C$의 부분집합이다.
$A^C=\{3, 4, 5, 7\},\ B^C=\{1, 5, 6, 7\}$이므로
$A^C\cap B^C=\{5, 7\}$
따라서 구하는 사건의 개수는 $2^2=4$

## 02 수학적 확률과 통계적 확률 본문 30쪽

**01** 두 개의 주사위를 동시에 던질 때, 모든 경우의 수는
$6\times 6=36$
두 눈의 수가 같은 경우는
(1, 1), (2, 2), (3, 3), (4, 4), (5, 5), (6, 6)의 6가지
따라서 구하는 확률은 $\frac{6}{36}=\frac{1}{6}$

**02** (i) 두 눈의 수의 곱이 12인 경우
(2, 6), (3, 4), (4, 3), (6, 2)의 4가지
(ii) 두 눈의 수의 곱이 24인 경우 (4, 6), (6, 4)의 2가지
(iii) 두 눈의 수의 곱이 36인 경우 (6, 6)의 1가지
(i), (ii), (iii)에서 두 눈의 수의 곱이 12의 배수인 경우의 수는
$4+2+1=7$
따라서 구하는 확률은 $\frac{7}{36}$

**03** 두 눈의 수의 곱이 짝수가 되는 경우의 수는 전체 경우의 수에서 두 눈의 수의 곱이 홀수가 되는 경우의 수를 빼면 된다.
두 눈의 수의 곱이 홀수가 되는 경우는
(1, 1), (1, 3), (1, 5), (3, 1), (3, 3), (3, 5), (5, 1), (5, 3), (5, 5)의 9가지
이므로 두 눈의 수의 곱이 짝수가 되는 경우의 수는
$36-9=27$
따라서 구하는 확률은 $\frac{27}{36}=\frac{3}{4}$

**04** (i) 두 눈의 수의 합이 4인 경우
(1, 3), (2, 2), (3, 1)의 3가지
(ii) 두 눈의 수의 합이 3인 경우 (1, 2), (2, 1)의 2가지
(iii) 두 눈의 수의 합이 2인 경우 (1, 1)의 1가지
(i), (ii), (iii)에서 두 눈의 수의 합이 4 이하인 경우의 수는
$3+2+1=6$
따라서 구하는 확률은 $\frac{6}{36}=\frac{1}{6}$

**05** 동전 3개를 동시에 던질 때, 모든 경우의 수는 $2\times 2\times 2=8$
앞면이 하나만 나오는 경우는
(앞, 뒤, 뒤), (뒤, 앞, 뒤), (뒤, 뒤, 앞)의 3가지
따라서 구하는 확률은 $\frac{3}{8}$

**06** 동전 1개와 주사위 1개를 동시에 던질 때, 모든 경우의 수는
$2\times6=12$
동전은 앞면이 나오고 주사위의 눈은 소수가 나오는 경우는
(앞, 2), (앞, 3), (앞, 5)의 3가지
따라서 구하는 확률은 $\frac{3}{12}=\frac{1}{4}$

**07** 두 개의 주사위를 동시에 던질 때, 모든 경우의 수는
$6\times6=36$
(i) 두 눈의 수의 합이 8인 경우
(2, 6), (3, 5), (4, 4), (5, 3), (6, 2)의 5가지
$\therefore a=\frac{5}{36}$
(ii) 두 눈의 수의 차가 1인 경우
(1, 2), (2, 1), (2, 3), (3, 2), (3, 4), (4, 3), (4, 5), (5, 4), (5, 6), (6, 5)의 10가지 $\therefore b=\frac{10}{36}=\frac{5}{18}$
(i), (ii)에 의해 $a+b=\frac{5}{36}+\frac{5}{18}=\frac{5}{12}$

**08** 5명이 일렬로 앉는 방법의 수는 $5!=120$
A, B를 한 사람으로 생각하여 4명이 일렬로 앉는 방법의 수는 $4!$이고, A, B가 서로 자리를 바꾸는 방법의 수가 $2!$이므로 A, B가 이웃하게 앉는 방법의 수는 $4!\times2!=48$
따라서 구하는 확률은 $\frac{48}{120}=\frac{2}{5}$

**09** A, B, D가 일렬로 앉는 방법의 수는 $3!$이고, A, B, D의 사이사이 및 양 끝에 C, E가 앉는 방법의 수는 ${}_4P_2$이므로 C, E가 이웃하지 않게 앉는 방법의 수는
$3!\times{}_4P_2=6\times12=72$
따라서 구하는 확률은 $\frac{72}{120}=\frac{3}{5}$

**10** A, D가 양 끝에 앉는 방법의 수는 $2!$이고, B, C, E가 일렬로 앉는 방법의 수는 $3!$이므로 A, D가 양 끝에 앉는 방법의 수는
$2!\times3!=12$
따라서 구하는 확률은 $\frac{12}{120}=\frac{1}{10}$

**11** 6명이 원탁에 둘러앉는 방법의 수는 $(6-1)!=5!=120$
남학생을 한 묶음, 여학생을 한 묶음으로 생각하고 원탁에 둘러앉는 방법의 수는 $(2-1)!=1!$이고, 남학생끼리, 여학생끼리 각각 자리를 바꾸는 방법의 수는 $3!\times3!$이므로 남학생은 남학생끼리, 여학생은 여학생끼리 앉는 방법의 수는
$1!\times3!\times3!=36$
따라서 구하는 확률은 $\frac{36}{120}=\frac{3}{10}$

**12** 남학생 3명이 원탁에 둘러앉는 방법의 수는 $(3-1)!=2!$이고, 남학생 사이사이의 3개의 자리에 여학생 3명이 앉는 방법의 수는 $3!$이므로 남녀가 번갈아 가며 앉는 방법의 수는
$2!\times3!=12$
따라서 구하는 확률은 $\frac{12}{120}=\frac{1}{10}$

**13** 만들 수 있는 네 자리 자연수의 개수는 ${}_3\Pi_4=3^4=81$
짝수의 개수는 ${}_3\Pi_3\times1=3^3=27$
따라서 구하는 확률은 $\frac{27}{81}=\frac{1}{3}$

**14** 각 자리의 숫자가 모두 홀수인 방법의 수는 1, 3의 2개에서 중복을 허용하여 네 자리의 자연수를 만들면 되므로
${}_2\Pi_4=2^4=16$
따라서 구하는 확률은 $\frac{16}{81}$

**15** 7개의 문자 S, T, U, D, E, N, T를 일렬로 나열하는 방법의 수는 $\frac{7!}{2!}=2520$
모음 U, E를 한 문자로 생각하여 6개의 문자를 일렬로 나열하는 방법의 수는 $\frac{6!}{2!}$이고, U, E가 자리를 바꾸는 방법의 수는 $2!$이므로 모음끼리 이웃하도록 나열하는 방법의 수는
$\frac{6!}{2!}\times2!=720$
따라서 구하는 확률은 $\frac{720}{2520}=\frac{2}{7}$

**16** 모음 U, E를 양 끝에 나열하는 방법의 수는 $2!$이고, 5개의 문자 S, T, D, N, T를 일렬로 나열하는 방법의 수는 $\frac{5!}{2!}$이므로 양 끝에 모음이 오는 방법의 수는 $2!\times\frac{5!}{2!}=120$
따라서 구하는 확률은 $\frac{120}{2520}=\frac{1}{21}$

**17** 6개의 숫자를 일렬로 나열하는 방법의 수는 $\frac{6!}{3!\times2!}=60$
숫자 1, 2, 2, 3, 3을 일렬로 나열하고, 맨 끝에 2를 나열하는 방법의 수는 $\frac{5!}{2!\times2!}=30$
따라서 구하는 확률은 $\frac{30}{60}=\frac{1}{2}$

**18** 6명 중에서 2명을 뽑는 방법의 수는 ${}_6C_2=15$
C를 뽑고 나머지 5명 중에서 1명을 뽑는 방법의 수는
${}_5C_1=5$
따라서 구하는 확률은 $\frac{5}{15}=\frac{1}{3}$

**19** B를 제외한 나머지 5명 중에서 2명을 뽑는 방법의 수는
${}_5C_2=10$
따라서 구하는 확률은 $\frac{10}{15}=\frac{2}{3}$

**20** E를 뽑고 A를 제외한 나머지 4명 중에서 1명을 뽑는 방법의 수는 ${}_4C_1=4$
따라서 구하는 확률은 $\frac{4}{15}$

**21** 8개의 공 중에서 3개의 공을 꺼내는 방법의 수는 ${}_8C_3=56$
농구공 3개 중에서 3개를 꺼내는 방법의 수는 ${}_3C_3=1$
따라서 구하는 확률은 $\frac{1}{56}$

**22** 축구공 3개 중에서 2개를 꺼내고, 나머지 공 5개 중에서 1개를 꺼내는 방법의 수는 ${}_3C_2\times{}_5C_1=3\times5=15$
따라서 구하는 확률은 $\frac{15}{56}$

**23** 남자 4명 중에서 2명, 여자 6명 중에서 3명을 뽑아 일렬로 세우는 방법의 수는 ${}_4C_2\times{}_6C_3\times5!$

뽑은 후 남자끼리 이웃하는 방법의 수는 ${}_4C_2\times{}_6C_3\times4!\times2!$
따라서 구하는 확률은
$\frac{{}_4C_2\times{}_6C_3\times4!\times2!}{{}_4C_2\times{}_6C_3\times5!}=\frac{2}{5}$

**24** 7개의 점 중에서 3개를 택하는 경우의 수는 ${}_7C_3=35$
(i) 직선 $l$에서 2개의 점을 택하고, 직선 $m$에서 1개의 점을 택하는 경우의 수는 ${}_4C_2\times{}_3C_1=18$
(ii) 직선 $l$에서 1개의 점을 택하고, 직선 $m$에서 2개의 점을 택하는 경우의 수는 ${}_4C_1\times{}_3C_2=12$
(i), (ii)에서 삼각형의 되는 경우의 수는 $18+12=30$
따라서 구하는 확률은 $\frac{30}{35}=\frac{6}{7}$

**25** 8개의 야구공을 3개의 바구니에 넣는 방법의 수는
${}_3H_8={}_{3+8-1}C_8={}_{10}C_8=45$
모든 바구니에 야구공이 들어가는 방법의 수는 모든 바구니에 야구공을 1개씩 넣은 다음 남은 5개의 야구공을 서로 다른 3개의 바구니에 넣으면 되므로
${}_3H_5={}_{3+5-1}C_5={}_7C_5=21$
따라서 구하는 확률은 $\frac{21}{45}=\frac{7}{15}$

**26** 5개의 공 중에서 3개의 공을 꺼내는 방법의 수는 ${}_5C_3=10$
이때 세 수의 합이 짝수가 되는 경우는 다음과 같다.
(i) (홀수)+(홀수)+(짝수)인 경우
홀수가 적힌 2장의 카드 중에서 2장, 짝수가 적힌 3장의 카드 중에서 1장을 뽑는 방법의 수는 ${}_2C_2\times{}_3C_1=3$
(ii) (짝수)+(짝수)+(짝수)인 경우
짝수가 적힌 3장의 카드 중에서 3장을 뽑는 방법의 수는 ${}_3C_3=1$
(i), (ii)에서 세 수의 합이 짝수인 경우의 수는 $3+1=4$
따라서 구하는 확률은 $\frac{4}{10}=\frac{2}{5}$

**27** 생산된 장난감이 불량품일 확률은 $\frac{10}{1000}=\frac{1}{100}$

**28** 평평한 면이 나올 확률은 $\frac{280}{500}=\frac{14}{25}$

**29** 홈런을 칠 확률은 $\frac{15}{250}=\frac{3}{50}$

**30** 2루타 또는 3루타를 친 경우는 $17+3=20$
따라서 구하는 확률은 $\frac{20}{250}=\frac{2}{25}$

**31** 슛이 성공할 확률은 $\frac{65}{100}=\frac{13}{20}$

**32** 파란 구슬이 나올 통계적 확률은 $\frac{150}{1000}=\frac{3}{20}$
즉, $\frac{3}{3+3+n}=\frac{3}{20}$이므로 $n=14$

**33** 흰 바둑돌의 개수를 $n$이라고 하면 10개의 공 중에서 2개를 꺼낼 때, 모두 흰 공일 확률은
$\frac{{}_nC_2}{{}_{10}C_2}=\frac{n(n-1)}{90}$
이 시행에서 3번에 1번꼴로 2개 모두 흰 공을 꺼냈으므로 통계적 확률은 $\frac{1}{3}$이다.
즉, $\frac{n(n-1)}{90}=\frac{1}{3}$이므로
$n^2-n-30=0$, $(n-6)(n+5)=0$ $\quad\therefore n=6$
따라서 주머니에는 6개의 흰 바둑돌이 들어 있다고 볼 수 있다.

**34** $\frac{(\text{색칠된 영역의 넓이})}{(\text{전체 과녁의 넓이})}=\frac{3}{8}$

**35** 짝수는 2, 4, 6, 8이므로
$\frac{(\text{짝수가 적힌 영역의 넓이})}{(\text{전체 과녁의 넓이})}=\frac{4}{9}$

**36** 반지름의 길이가 4인 원의 넓이는 $\pi\times4^2=16\pi$
색칠한 부분의 넓이는 $\pi\times3^2-\pi\times2^2=5\pi$
따라서 구하는 확률은 $\frac{5\pi}{16\pi}=\frac{5}{16}$

**37** 점 P가 $\overline{AB}$를 지름으로 하는 반원위에 있을 때, $\triangle PAB$는 직각삼각형이 된다.
따라서 오른쪽 그림에서 색칠한 부분에 점 P를 잡으면 $\triangle PAB$는 예각삼각형이 되므로 구하는 확률은

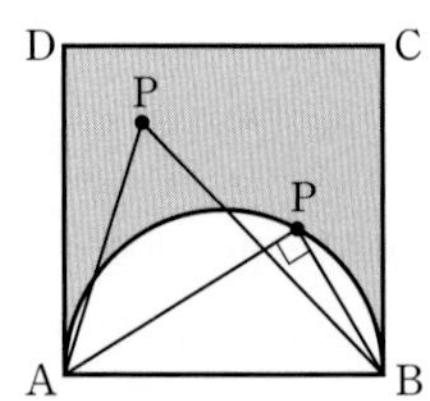


$\frac{(\text{색칠한 부분의 넓이})}{(\square ABCD\text{의 넓이})}=\frac{2\times2-\frac{1}{2}\times\pi\times1^2}{2\times2}=1-\frac{\pi}{8}$

**38** 이차방정식 $x^2+4ax+5a=0$이 실근을 가지려면 판별식 $D\geq0$이어야 하므로
$\frac{D}{4}=(2a)^2-5a=4a^2-5a=a(4a-5)\geq0$
$\therefore a\leq0$ 또는 $a\geq\frac{5}{4}$ ……㉠
이때 주어진 조건 $-3\leq a\leq4$와 ㉠을 수직선 위에 나타내면 오른쪽 그림과 같다.
따라서 구하는 확률은

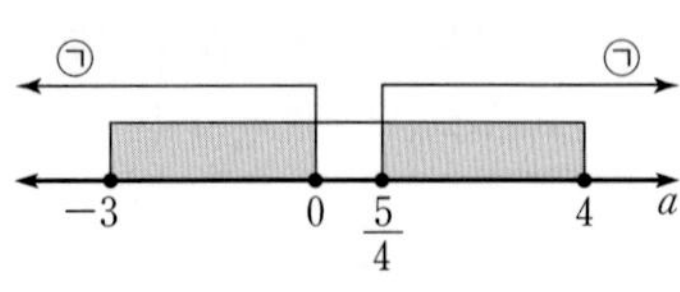


$\frac{(\text{색칠한 구간의 길이})}{(\text{전체 구간의 길이})}=\frac{\{0-(-3)\}+\left(4-\frac{5}{4}\right)}{4-(-3)}=\frac{23}{28}$

**39** $\overline{AP}=x$, $\overline{AQ}=y$라고 하면 두 점 P, Q는 길이가 4인 선분 AB 위의 점이므로
$0\leq x\leq4$, $0\leq y\leq4$ ……㉠
한편 $\overline{PQ}\leq2$인 경우를 $x$, $y$에 대한 식으로 나타내면
$|x-y|\leq2$ ……㉡
이때 ㉠, ㉡을 동시에 만족시키는 점 $(x, y)$의 영역을 나타내면 오른쪽 그림의 색칠한 부분(경계선 포함)과 같다.
따라서 구하는 확률은

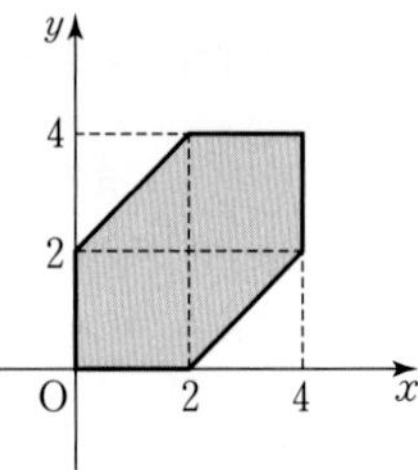


$\frac{(\text{색칠한 부분의 넓이})}{(\text{전체 정사각형의 넓이})}$
$=\frac{4\times4-2\times\left(\frac{1}{2}\times2\times2\right)}{4\times4}=\frac{3}{4}$

## 03 확률의 기본 성질과 덧셈정리 본문 35쪽

**01** 구하는 확률은 $\frac{4}{9}$

**02** 구하는 확률은 $\frac{5}{9}$

**03** 꺼낸 공이 노란 공인 사건은 절대로 일어날 수 없으므로 구하는 확률은 0이다.

**04** 꺼낸 공이 파란 공 또는 빨간 공인 사건은 반드시 일어나므로 구하는 확률은 1이다.

**05** 짝수는 2, 4, 6, , 14의 7개이므로 $\mathrm{P}(A)=\frac{7}{15}$

**06** 홀수는 1, 3, 5, , 15의 8개이므로 $\mathrm{P}(B)=\frac{8}{15}$

**07** 모든 카드에는 짝수 또는 홀수가 적혀 있으므로
$\mathrm{P}(A\cup B)=1$

**08** $A\cap B=\varnothing$이므로 $\mathrm{P}(A\cap B)=0$

**09** $\mathrm{P}(A\cup B)=\mathrm{P}(A)+\mathrm{P}(B)-\mathrm{P}(A\cap B)$
$=\frac{2}{5}+\frac{1}{3}-\frac{1}{5}=\frac{8}{15}$

**10** $\mathrm{P}(A\cup B)=\mathrm{P}(A)+\mathrm{P}(B)-\mathrm{P}(A\cap B)$에서
$\frac{5}{6}=\frac{1}{3}+\frac{3}{4}-\mathrm{P}(A\cap B)\quad \therefore \mathrm{P}(A\cap B)=\frac{1}{4}$

**11** $\mathrm{P}(A\cup B)=\mathrm{P}(A)+\mathrm{P}(B)-\mathrm{P}(A\cap B)$에서
$\frac{7}{10}=\frac{1}{2}+\mathrm{P}(B)-\frac{1}{5}\quad \therefore \mathrm{P}(B)=\frac{2}{5}$

**12** $A$, $B$가 서로 배반이므로
$\mathrm{P}(A\cup B)=\mathrm{P}(A)+\mathrm{P}(B)$에서
$1=\mathrm{P}(A)+\frac{1}{5}\quad \therefore \mathrm{P}(A)=\frac{4}{5}$

**13** $\mathrm{P}(A)=0.5$, $\mathrm{P}(B)=0.7$, $\mathrm{P}(A\cup B)=1$이므로
$\mathrm{P}(A\cup B)=\mathrm{P}(A)+\mathrm{P}(B)-\mathrm{P}(A\cap B)$에서
$1=0.5+0.7-\mathrm{P}(A\cap B)\quad \therefore \mathrm{P}(A\cap B)=0.2$

**14** 카드에 적힌 수가 3의 배수인 사건을 $A$, 5의 배수인 사건을 $B$라고 하면 $A\cap B$는 15의 배수인 사건이므로
$\mathrm{P}(A)=\frac{10}{30}$, $\mathrm{P}(B)=\frac{6}{30}$, $\mathrm{P}(A\cap B)=\frac{2}{30}$
$\therefore \mathrm{P}(A\cup B)=\mathrm{P}(A)+\mathrm{P}(B)-\mathrm{P}(A\cap B)$
$=\frac{10}{30}+\frac{6}{30}-\frac{2}{30}=\frac{7}{15}$

**15** 카드에 적힌 수가 7의 배수인 사건을 $A$, 13의 배수인 사건을 $B$라고 하면
$\mathrm{P}(A)=\frac{4}{30}$, $\mathrm{P}(B)=\frac{2}{30}$
$A$, $B$는 서로 배반사건이므로
$\mathrm{P}(A\cup B)=\mathrm{P}(A)+\mathrm{P}(B)=\frac{4}{30}+\frac{2}{30}=\frac{1}{5}$

**16** 공에 적힌 수가 5 이하인 사건을 $A$, 10 이상인 사건을 $B$라고 하면
$\mathrm{P}(A)=\frac{5}{20}$, $\mathrm{P}(B)=\frac{11}{20}$
$A$, $B$는 서로 배반사건이므로
$\mathrm{P}(A\cup B)=\mathrm{P}(A)+\mathrm{P}(B)=\frac{5}{20}+\frac{11}{20}=\frac{4}{5}$

**17** 7개의 공 중에서 3개를 꺼낼 때, 3개가 모두 흰 공인 사건을 $A$, 3개가 모두 검은 공인 사건을 $B$라고 하면
$\mathrm{P}(A)=\frac{{}_4\mathrm{C}_3}{{}_7\mathrm{C}_3}=\frac{4}{35}$, $\mathrm{P}(B)=\frac{{}_3\mathrm{C}_3}{{}_7\mathrm{C}_3}=\frac{1}{35}$
$A$, $B$는 서로 배반사건이므로 구하는 확률은
$\mathrm{P}(A\cup B)=\mathrm{P}(A)+\mathrm{P}(B)=\frac{4}{35}+\frac{1}{35}=\frac{1}{7}$

**18** 눈의 수의 합이 3인 사건을 $A$, 눈의 수의 차가 3인 사건을 $B$라고 하면
$A=\{(1, 2), (2, 1)\}$
$B=\{(1, 4), (2, 5), (3, 6), (4, 1), (5, 2), (6, 3)\}$
이므로 $\mathrm{P}(A)=\frac{2}{36}$, $\mathrm{P}(B)=\frac{6}{36}$
$A$, $B$는 서로 배반사건이므로 구하는 확률은
$\mathrm{P}(A\cup B)=\mathrm{P}(A)+\mathrm{P}(B)=\frac{2}{36}+\frac{6}{36}=\frac{2}{9}$

## 04 여사건의 확률 본문 37쪽

**01** 뒷면이 적어도 한 번 나오는 사건을 $A$라고 하면 $A^C$는 모두 앞면이 나오는 사건이므로 동전의 앞면을 H라고 하면
$A^C=\{\mathrm{HHH}\}$
따라서 $\mathrm{P}(A^C)=\frac{1}{8}$이므로
$\mathrm{P}(A)=1-\mathrm{P}(A^C)=1-\frac{1}{8}=\frac{7}{8}$

**02** 7개의 공 중에서 2개를 동시에 꺼내는 방법의 수는
${}_7\mathrm{C}_2=21$
흰 공 4개 중에서 2개를 꺼내는 방법의 수는 ${}_4\mathrm{C}_2=6$
따라서 구하는 확률은 $\frac{6}{21}=\frac{2}{7}$

**03** $1-\frac{2}{7}=\frac{5}{7}$

**04** 9명의 학생 중에서 대표 3명을 뽑는 방법의 수는
${}_9\mathrm{C}_3=84$
남학생 5명 중에서 대표 3명을 뽑는 방법의 수는 ${}_5\mathrm{C}_3=10$
따라서 구하는 확률은 $\frac{10}{84}=\frac{5}{42}$

**05** $1-\frac{5}{42}=\frac{37}{42}$

**06** 적어도 1켤레가 흰 양말인 사건을 $A$라고 하면 $A^C$는 3켤레 모두 검은 양말인 사건이므로
$\mathrm{P}(A^C)=\frac{{}_4\mathrm{C}_3}{{}_7\mathrm{C}_3}=\frac{4}{35}$
$\therefore \mathrm{P}(A)=1-\mathrm{P}(A^C)=1-\frac{4}{35}=\frac{31}{35}$

**07** 적어도 한쪽 끝에 남자를 앉히는 사건을 $A$라고 하면 $A^C$는 양 끝에 모두 여자를 앉히는 사건이므로
$\mathrm{P}(A^C)=\frac{{}_3\mathrm{P}_2\times 3!}{5!}=\frac{3}{10}$

$\therefore$ $P(A)=1-P(A^C)=1-\frac{3}{10}=\frac{7}{10}$

**08** 적어도 1개가 당첨 제비일 확률이 $\frac{17}{38}$이므로 2개 모두 당첨 제비가 아닐 확률은 $1-\frac{17}{38}=\frac{21}{38}$

즉, $\frac{{}_{20-n}C_2}{{}_{20}C_2}=\frac{21}{38}$이므로 $\frac{(20-n)(19-n)}{20\times19}=\frac{21}{38}$

$n^2-39n+170=0$, $(n-34)(n-5)=0$

$\therefore$ $n=5$ ($\because$ $n\le20$인 자연수)

**09** 두 눈의 수의 곱이 짝수인 사건을 $A$라고 하면 $A^C$는 두 눈의 수의 곱이 홀수인 사건이므로

$A=\{(1, 1), (1, 3), (1, 5), (3, 1), (3, 3), (3, 5), (5, 1), (5, 3), (5, 5)\}$

따라서 $P(A^C)=\frac{9}{36}=\frac{1}{4}$이므로

$P(A)=1-P(A^C)=1-\frac{1}{4}=\frac{3}{4}$

**10** 두 눈의 수가 서로 다를 사건을 $A$라고 하면 $A^C$는 두 눈의 수가 서로 같은 사건이므로

$A=\{(1, 1), (2, 2), (3, 3), (4, 4), (5, 5), (6, 6)\}$

따라서 $P(A^C)=\frac{6}{36}=\frac{1}{6}$이므로

$P(A)=1-P(A^C)=1-\frac{1}{6}=\frac{5}{6}$

**11** 두 눈의 수의 합이 10 이하일 사건을 $A$라고 하면 $A^C$는 두 눈의 수의 합이 11 이상일 사건이므로

$A=\{(5, 6), (6, 5), (6, 6)\}$

따라서 $P(A^C)=\frac{3}{36}=\frac{1}{12}$이므로

$P(A)=1-P(A^C)=1-\frac{1}{12}=\frac{11}{12}$

**12** 두 눈의 수의 곱이 소수가 아닌 사건을 $A$라고 하면 $A^C$는 두 눈의 수의 곱이 소수인 사건이므로

$A=\{(1, 2), (1, 3), (1, 5), (2, 1), (3, 1), (5, 1)\}$

따라서 $P(A^C)=\frac{6}{36}=\frac{1}{6}$이므로

$P(A)=1-P(A^C)=1-\frac{1}{6}=\frac{5}{6}$

**13** 카드에 적힌 수가 4의 배수가 아닐 사건을 $A$라고 하면 $A^C$는 카드에 적힌 수가 4의 배수일 사건이므로

$P(A^C)=\frac{12}{50}=\frac{6}{25}$

따라서 구하는 확률은

$P(A)=1-P(A^C)=1-\frac{6}{25}=\frac{19}{25}$

**14** 9개의 구슬 중에서 3개를 꺼낼 때, 검은 구슬이 2개 이하인 사건을 $A$라고 하면 $A^C$는 검은 구슬이 3개인 사건이므로

$P(A^C)=\frac{{}_5C_3}{{}_9C_3}=\frac{10}{84}=\frac{5}{42}$

따라서 구하는 확률은

$P(A)=1-P(A^C)=1-\frac{5}{42}=\frac{37}{42}$

**15** 뒷면이 2개 이상인 사건을 $A$라고 하면 $A^C$는 뒷면이 1개이거나 모두 앞면인 사건이므로

(i) 뒷면이 1개일 확률은 $\frac{{}_4C_1}{16}=\frac{1}{4}$

(ii) 모두 앞면일 확률은 $\frac{{}_4C_0}{16}=\frac{1}{16}$

(i), (ii)에서 $P(A^C)=\frac{1}{4}+\frac{1}{16}=\frac{5}{16}$

따라서 구하는 확률은

$P(A)=1-P(A^C)=1-\frac{5}{16}=\frac{11}{16}$

**16** 다섯 개의 숫자로 세 자리의 정수를 만들 때, 230 이상인 사건을 $A$라고 하면 $A^C$는 215 이하인 사건이다. 이때 215 이하인 정수는 21○ 꼴 또는 1○○ 꼴이다.

(i) 21○ 꼴일 확률은 $\frac{3}{{}_5P_3}=\frac{1}{20}$

(ii) 1○○ 꼴일 확률은 $\frac{{}_4P_2}{{}_5P_3}=\frac{1}{5}$

(i), (ii)에서 $P(A^C)=\frac{1}{20}+\frac{1}{5}=\frac{1}{4}$

따라서 구하는 확률은

$P(A)=1-P(A^C)=1-\frac{1}{4}=\frac{3}{4}$

**17** 12개의 공에서 3개를 꺼낼 때, 공의 색이 두 종류 이상인 사건을 $A$라고 하면 $A^C$는 3개의 공이 모두 같은 색인 사건이다.

(i) 3개의 공 모두 파란 공일 확률은 $\frac{{}_4C_3}{{}_{12}C_3}=\frac{1}{55}$

(ii) 3개의 공 모두 빨간 공일 확률은 $\frac{{}_3C_3}{{}_{12}C_3}=\frac{1}{220}$

(iii) 3개의 공 모두 노란 공일 확률은 $\frac{{}_5C_3}{{}_{12}C_3}=\frac{1}{22}$

(i), (ii), (iii)에서 $P(A^C)=\frac{1}{55}+\frac{1}{220}+\frac{1}{22}=\frac{3}{44}$

따라서 구하는 확률은

$P(A)=1-P(A^C)=1-\frac{3}{44}=\frac{41}{44}$

## 05 조건부확률 본문 39쪽

**01** $A=\{1, 2, 3, 6\}$, $B=\{2, 3, 5\}$에서 $A\cap B=\{2, 3\}$이므로

$P(A\cap B)=\frac{2}{6}=\frac{1}{3}$

**02** $P(A|B)=\frac{P(A\cap B)}{P(B)}=\frac{\frac{1}{3}}{\frac{3}{6}}=\frac{2}{3}$

**03** $P(B|A)=\frac{P(A\cap B)}{P(A)}=\frac{\frac{1}{3}}{\frac{4}{6}}=\frac{1}{2}$

**04** $P(A\cap B)=P(A)+P(B)-P(A\cup B)$

$=\frac{1}{5}+\frac{2}{5}-\frac{1}{2}=\frac{1}{10}$

**05** $P(B|A)=\frac{P(A\cap B)}{P(A)}=\frac{\frac{1}{10}}{\frac{1}{5}}=\frac{1}{2}$

**06** $P(A\cup B)=1-P((A\cup B)^C)=1-P(A^C\cap B^C)$
$=1-0.2=0.8$
$P(A\cap B)=P(A)+P(B)-P(A\cup B)$
$=0.4+0.7-0.8=0.3$
$\therefore P(B|A)=\frac{P(A\cap B)}{P(A)}=\frac{0.3}{0.4}=\frac{3}{4}$

**07** $P(A^C)=1-P(A)=1-\frac{1}{4}=\frac{3}{4}$
$P(A^C\cap B^C)=P((A\cup B)^C)=1-P(A\cup B)$
$=1-\frac{5}{8}=\frac{3}{8}$
$\therefore P(B^C|A^C)=\frac{P(A^C\cap B^C)}{P(A^C)}=\frac{\frac{3}{8}}{\frac{3}{4}}=\frac{1}{2}$

**08** $P(B^C)=1-P(B)=1-\frac{2}{3}=\frac{1}{3}$
두 사건 $A$, $B$가 서로 배반사건이므로 $A\cap B=\varnothing$
$\therefore A\subset B^C$
따라서 $A\cap B^C=A$이므로
$P(A\cap B^C)=P(A)=\frac{1}{5}$
$\therefore P(A|B^C)=\frac{P(A\cap B^C)}{P(B^C)}=\frac{\frac{1}{5}}{\frac{1}{3}}=\frac{3}{5}$

**09** $P(A\cup B)=P(A)+P(B)-P(A\cap B)$에서
$\frac{7}{10}=\frac{1}{2}+P(B)-\frac{1}{5}$ $\therefore P(B)=\frac{2}{5}$
$P(B^C)=1-P(B)=1-\frac{2}{5}=\frac{3}{5}$
$P(A^C\cap B^C)=P((A\cup B)^C)=1-P(A\cup B)$
$=1-\frac{7}{10}=\frac{3}{10}$
$\therefore P(A^C|B^C)=\frac{P(A^C\cap B^C)}{P(B^C)}=\frac{\frac{3}{10}}{\frac{3}{5}}=\frac{1}{2}$

**11** 두 눈의 수의 합이 6인 사건을 $A$, 두 주사위의 눈의 수가 모두 3인 사건을 $B$라고 하면
$A=\{(1, 5), (2, 4), (3, 3), (4, 2), (5, 1)\}$
$B=\{(3, 3)\}$, $A\cap B=\{(3, 3)\}$이므로
$P(A)=\frac{5}{36}$, $P(A\cap B)=\frac{1}{36}$
$\therefore P(B|A)=\frac{P(A\cap B)}{P(A)}=\frac{\frac{1}{36}}{\frac{5}{36}}=\frac{1}{5}$

**12** 휴대전화를 보유한 학생을 택하는 사건을 $A$, 여학생을 택하는 사건을 $B$라고 하면
$P(A)=\frac{40}{50}=\frac{4}{5}$, $P(A\cap B)=\frac{15}{50}=\frac{3}{10}$
$\therefore P(B|A)=\frac{P(A\cap B)}{P(A)}=\frac{\frac{3}{10}}{\frac{4}{5}}=\frac{3}{8}$

**13** 빨간색 카드를 꺼내는 사건을 $A$, 짝수가 적힌 카드를 꺼내는 사건을 $B$라고 하면
$P(A)=\frac{4}{9}$, $P(A\cap B)=\frac{2}{9}$
$\therefore P(B|A)=\frac{P(A\cap B)}{P(A)}=\frac{\frac{2}{9}}{\frac{4}{9}}=\frac{1}{2}$

**14** B형을 택하는 사건을 $A$, 남학생을 택하는 사건을 $B$라고 하면
$P(A)=\frac{60}{100}=\frac{3}{5}$, $P(A\cap B)=\frac{40}{100}=\frac{2}{5}$
$\therefore P(B|A)=\frac{P(A\cap B)}{P(A)}=\frac{\frac{2}{5}}{\frac{3}{5}}=\frac{2}{3}$

**15** 남학생을 택하는 사건을 $A$, 지하철로 통학하는 학생을 택하는 사건을 $B$라고 하면
$P(A)=\frac{24}{40}=\frac{3}{5}$, $P(A\cap B)=\frac{14}{40}=\frac{7}{20}$
$\therefore P(B|A)=\frac{P(A\cap B)}{P(A)}=\frac{\frac{7}{20}}{\frac{3}{5}}=\frac{7}{12}$

**16** 당첨 제비를 뽑는 사건을 $A$, 1등 당첨 제비를 뽑는 사건을 $B$라고 하자. 이때 사건 $A$의 방법의 수는
(i) 당첨 제비가 1개인 경우 ${}_5C_1\times{}_5C_1=5\times5=25$
(ii) 당첨 제비가 2개인 경우 ${}_5C_2\times{}_5C_0=10\times1=10$
(i), (ii)에 의하여
$P(A)=\frac{25+10}{{}_{10}C_2}=\frac{35}{45}=\frac{7}{9}$
$P(A\cap B)=\frac{{}_1C_1\times{}_9C_1}{{}_{10}C_2}=\frac{9}{45}=\frac{1}{5}$
$\therefore P(B|A)=\frac{P(A\cap B)}{P(A)}=\frac{\frac{1}{5}}{\frac{7}{9}}=\frac{9}{35}$

## 06 확률의 곱셈정리 본문 41쪽

**01** $P(A\cap B)=P(A)P(B|A)=\frac{2}{5}\times\frac{3}{10}=\frac{3}{25}$

**02** $P(A|B)=\frac{P(A\cap B)}{P(B)}=\frac{\frac{3}{25}}{\frac{1}{2}}=\frac{6}{25}$

**03** $P(A\cup B)=P(A)+P(B)-P(A\cap B)$
$=\frac{2}{5}+\frac{1}{2}-\frac{3}{25}=\frac{39}{50}$
$\therefore P(A^C\cap B^C)=P((A\cup B)^C)=1-P(A\cup B)$
$=1-\frac{39}{50}=\frac{11}{50}$

**04** $P(B^C|A^C)=\frac{P(A^C\cap B^C)}{P(A^C)}=\frac{\frac{11}{50}}{1-\frac{2}{5}}=\frac{11}{30}$

**05** 갑이 당첨 제비를 뽑을 사건을 $A$, 을이 당첨 제비를 뽑을 사건을 $B$라고 하면
$P(A)=\frac{4}{10}=\frac{2}{5}$

**06** 갑이 당첨 제비를 뽑았을 때, 을도 당첨 제비를 뽑을 확률은
$P(B|A)=\frac{3}{9}=\frac{1}{3}$
따라서 구하는 확률은
$P(A\cap B)=P(A)P(B|A)=\frac{2}{5}\times\frac{1}{3}=\frac{2}{15}$

**07** (i) 갑이 당첨 제비를 뽑고, 을도 당첨 제비를 뽑을 확률은

$P(A\cap B)=\frac{2}{15}$

(ii) 갑은 당첨 제비를 못 뽑고, 을만 당첨 제비를 뽑을 확률은

$P(A^C\cap B)=P(A^C)P(B|A^C)=\frac{6}{10}\times\frac{4}{9}=\frac{4}{15}$

(i), (ii)는 서로 배반사건이므로 구하는 확률은

$P(B)=P(A\cap B)+P(A^C\cap B)=\frac{2}{15}+\frac{4}{15}=\frac{2}{5}$

**08** 빨간 상자를 택하는 사건을 $A$, 500원짜리 동전을 꺼내는 사건을 $B$라고 하면

$P(A)=\frac{8}{16}=\frac{1}{2}$, $P(B|A)=\frac{3}{8}$

따라서 구하는 확률은

$P(A\cap B)=P(A)P(B|A)=\frac{1}{2}\times\frac{3}{8}=\frac{3}{16}$

**09** 갑이 딸기 맛 사탕을 먹는 사건을 $A$, 을이 사과 맛 사탕을 먹는 사건을 $B$라고 하면

$P(A)=\frac{5}{15}=\frac{1}{3}$, $P(B|A)=\frac{10}{14}=\frac{5}{7}$

따라서 구하는 확률은

$P(A\cap B)=P(A)P(B|A)=\frac{1}{3}\times\frac{5}{7}=\frac{5}{21}$

**10** 첫 번째에 빨간 공을 꺼내는 사건을 $A$, 두 번째에 빨간 공을 꺼내는 사건을 $B$라고 하면

첫 번째에 빨간 공을 꺼낼 확률은 $P(A)=\frac{6}{10}=\frac{3}{5}$

첫 번째에 빨간 공을 꺼냈을 때, 두 번째에도 빨간 공을 꺼낼 확률은 $P(B|A)=\frac{5}{9}$

따라서 구하는 확률은

$P(A\cap B)=P(A)P(B|A)=\frac{3}{5}\times\frac{5}{9}=\frac{1}{3}$

**11** 첫 번째에 불량품을 꺼내지 않을 사건을 $A$, 두 번째에 불량품을 꺼내지 않을 사건을 $B$라고 하면

첫 번째에 불량품을 꺼내지 않을 확률은 $P(A)=\frac{8}{12}=\frac{2}{3}$

첫 번째에 불량품을 꺼내지 않았을 때, 두 번째에도 불량품을 꺼내지 않을 확률은 $P(B|A)=\frac{7}{11}$

따라서 구하는 확률은

$P(A\cap B)=P(A)P(B|A)=\frac{2}{3}\times\frac{7}{11}=\frac{14}{33}$

**13** 나온 공이 파란 공 1개, 노란 공 1개일 때, 꺼낸 공 2개가 모두 주머니 A에서 나왔을 확률은

$P(A|E)=\frac{P(A\cap E)}{P(E)}=\frac{\frac{3}{10}}{\frac{17}{30}}=\frac{9}{17}$

**14** 홈 경기인 사건을 $A$, 원정 경기인 사건을 $B$, 승리하는 사건을 $E$라고 하면

(i) 홈 경기에서 승리하는 확률은

$P(A\cap E)=P(A)P(E|A)=\frac{20}{100}\times\frac{70}{100}=\frac{7}{50}$

(ii) 원정 경기에서 승리하는 확률은

$P(B\cap E)=P(B)P(E|B)=\frac{80}{100}\times\frac{30}{100}=\frac{6}{25}$

(i), (ii)는 서로 배반사건이므로 이 팀이 승리할 확률은

$P(E)=P(A\cap E)+P(B\cap E)=\frac{7}{50}+\frac{6}{25}=\frac{19}{50}$

따라서 이 팀이 승리하였을 때, 그 경기가 홈 경기였을 확률은

$P(A|E)=\frac{P(A\cap E)}{P(E)}=\frac{\frac{7}{50}}{\frac{19}{50}}=\frac{7}{19}$

## 07 사건의 독립과 종속 본문 43쪽

**01** $A=\{1, 5\}$, $B=\{1, 2, 3\}$, $C=\{2, 3, 5\}$이므로

$A\cap B=\{1\}$, $B\cap C=\{2, 3\}$, $A\cap C=\{5\}$

$P(A)=\frac{1}{3}$, $P(B)=\frac{1}{2}$, $P(A\cap B)=\frac{1}{6}$이므로

$P(A\cap B)=P(A)P(B)$

따라서 두 사건 $A$, $B$는 독립이다.

**02** $P(A)=\frac{1}{3}$, $P(C)=\frac{1}{2}$, $P(A\cap C)=\frac{1}{6}$이므로

$P(A\cap C)=P(A)P(C)$

따라서 두 사건 $A$, $C$는 독립이다.

**03** $P(B)=\frac{1}{2}$, $P(C)=\frac{1}{2}$, $P(B\cap C)=\frac{1}{3}$이므로

$P(B\cap C)\neq P(B)P(C)$

따라서 두 사건 $B$, $C$는 종속이다.

**04** $A=\{5, 10\}$, $B=\{2, 3, 5, 7\}$, $C=\{2, 4, 6, 8, 10\}$이므로

$A\cap B=\{5\}$, $B\cap C=\{2\}$, $A\cap C=\{10\}$

$P(A)=\frac{1}{5}$, $P(B)=\frac{2}{5}$, $P(A\cap B)=\frac{1}{10}$이므로

$P(A\cap B)\neq P(A)P(B)$

따라서 두 사건 $A$, $C$는 종속이다.

**05** $P(A)=\frac{1}{5}$, $P(C)=\frac{1}{2}$, $P(A\cap C)=\frac{1}{10}$이므로

$P(A\cap C)=P(A)P(C)$

따라서 두 사건 $A$, $C$는 독립이다.

**06** $P(B)=\frac{2}{5}$, $P(C)=\frac{1}{2}$, $P(B\cap C)=\frac{1}{10}$이므로

$P(B\cap C)\neq P(B)P(C)$

따라서 두 사건 $B$, $C$는 종속이다.

**07** 두 사건 $A$, $B$가 서로 독립이므로

$P(A\cap B)=P(A)P(B)=0.4\times0.3=0.12$

**08** 두 사건 $A$, $B^C$가 서로 독립이므로

$P(A|B^C)=P(A)=0.4$

**09** 두 사건 $A^C$, $B^C$가 서로 독립이므로

$P(B^C|A^C)=P(B^C)=1-0.3=0.7$

**10** 두 사건 $A$, $B$가 서로 독립이므로

$P(A\cap B)=P(A)P(B)$

$0.2=0.5\times P(B)$ $\quad\therefore P(B)=0.4$

$\therefore P(A\cup B)=P(A)+P(B)-P(A\cap B)$

$=0.5+0.4-0.2=0.7$

**11** $P(A^C \cap B^C)=P((A \cup B)^C)=1-P(A \cup B)$에서
$0.2=1-P(A \cup B)$ $\quad \therefore P(A \cup B)=0.8$
두 사건 $A$, $B$가 서로 독립이므로
$P(A \cap B)=P(A)P(B)=0.6P(B)$
$P(A \cup B)=P(A)+P(B)-P(A \cap B)$에서
$0.8=0.6+P(B)-0.6P(B)$
$0.4P(B)=0.2$ $\quad \therefore P(B)=0.5$

**12** $P(A \cap B^C)=P(A)-P(A \cap B)$
$=P(A)-P(A)P(B)$
$=P(A)\{1-P(B)\}$
$=P(A)P(B^C)$
따라서 $A$, $B^C$는 서로 독립이다. (참)

**13** $P(A^C \cap B^C)=1-P(A \cup B)$
$=1-\{P(A)+P(B)-P(A \cap B)\}$
$=1-P(A)-P(B)+P(A)P(B)$
$=1-P(A)-P(B)\{1-P(A)\}$
$=\{1-P(A)\}\{1-P(B)\}$
$=P(A^C)P(B^C)$
따라서 $A^C$, $B^C$는 서로 독립이다. (참)

**14** $P(A|B)=P(A)$, $P(A|B^C)=P(A)$
$\therefore P(A|B)=P(A|B^C)$ (참)

**15** 두 사건 $A$와 $B$가 서로 배반사건이면
$P(A \cup B)=P(A)+P(B)$이므로 독립과는 관계가 없다. (거짓)

**16** $1-P(A^C|B)=1-\dfrac{P(A^C \cap B)}{P(B)}$
$=1-\dfrac{P(B)-P(A \cap B)}{P(B)}$
$=\dfrac{P(A \cap B)}{P(B)}=P(A|B)$
이때 두 사건 $A$, $B$가 서로 독립이면
$P(A|B)=P(A|B^C)$
$\therefore P(A|B^C)=1-P(A^C|B)$ (참)

**17** 갑이 1번 문제의 정답을 맞히는 사건을 $A$, 을이 1번 문제의 정답을 맞히는 사건을 $B$라고 하면 $A$, $B$는 서로 독립이므로 구하는 확률은
$P(A \cap B)=P(A)P(B)=\dfrac{1}{5}\times\dfrac{1}{4}=\dfrac{1}{20}$

**18** (i) 갑만 1번 문제의 정답을 맞힐 확률은
$P(A \cap B^C)=P(A)P(B^C)=\dfrac{1}{5}\times\left(1-\dfrac{1}{4}\right)=\dfrac{3}{20}$
(ii) 을만 1번 문제의 정답을 맞힐 확률은
$P(A^C \cap B)=P(A^C)P(B)=\left(1-\dfrac{1}{5}\right)\times\dfrac{1}{4}=\dfrac{1}{5}$
(i), (ii)는 서로 배반사건이므로 구하는 확률은
$\dfrac{3}{20}+\dfrac{1}{5}=\dfrac{7}{20}$

**19** 두 명 모두 1번 문제의 정답을 맞히지 못할 확률은
$P(A^C \cap B^C)=P(A^C)P(B^C)=\left(1-\dfrac{1}{5}\right)\times\left(1-\dfrac{1}{4}\right)=\dfrac{3}{5}$
따라서 적어도 한 사람이 정답을 맞힐 확률은
$1-P(A^C \cap B^C)=1-\dfrac{3}{5}=\dfrac{2}{5}$

**20** 주사위에서 소수의 눈이 나오는 사건을 $A$, 동전의 앞면이 나오는 사건을 $B$라고 하면 $A$, $B$는 서로 독립이므로
$P(A \cap B)=P(A)P(B)=\dfrac{1}{2}\times\dfrac{1}{2}=\dfrac{1}{4}$

**21** 두 선수 A, B가 표적을 명중시키는 사건을 각각 $A$, $B$라고 하면 $A$, $B$는 서로 독립이므로
$P(A \cap B)=P(A)P(B)=0.6\times0.8=0.48$

**22** 두 양궁 선수 A, B가 10점에 명중시키는 사건을 각각 $A$, $B$라고 하면 $A$, $B$는 서로 독립이므로 두 양궁 선수가 모두 10점에 명중시키지 못할 확률은
$P(A^C \cap B^C)=P(A^C)P(B^C)$
$=(1-0.9)\times(1-0.8)=0.02$
따라서 적어도 한 사람이 10점을 명중시킬 확률은
$1-P(A^C \cap B^C)=1-0.02=0.98$

**23** A가 이길 확률이 $\dfrac{3}{5}$이므로 B가 이길 확률은 $1-\dfrac{3}{5}=\dfrac{2}{5}$
(i) B가 연속 두 번 이길 확률은 $\dfrac{2}{5}\times\dfrac{2}{5}=\dfrac{4}{25}$
(ii) (B, A, B)의 순서로 이길 확률은 $\dfrac{2}{5}\times\dfrac{3}{5}\times\dfrac{2}{5}=\dfrac{12}{125}$
(iii) (A, B, B)의 순서로 이길 확률은 $\dfrac{3}{5}\times\dfrac{2}{5}\times\dfrac{2}{5}=\dfrac{12}{125}$
(i), (ii), (iii)은 서로 배반사건이므로 구하는 확률은
$\dfrac{4}{25}+\dfrac{12}{125}+\dfrac{12}{125}=\dfrac{44}{125}$

**24** 갑, 을, 병이 시험에 합격하는 사건을 각각 $A$, $B$, $C$라고 하면 $A$, $B$, $C$는 서로 독립이므로
(i) 갑, 을만 합격할 확률은
$P(A \cap B \cap C^C)=P(A)P(B)P(C^C)$
$=\dfrac{4}{5}\times\dfrac{3}{5}\times\left(1-\dfrac{1}{2}\right)=\dfrac{6}{25}$
(ii) 을, 병만 합격할 확률은
$P(A^C \cap B \cap C)=P(A^C)P(B)P(C)$
$=\left(1-\dfrac{4}{5}\right)\times\dfrac{3}{5}\times\dfrac{1}{2}=\dfrac{3}{50}$
(iii) 갑, 병만 합격할 확률은
$P(A \cap B^C \cap C)=P(A)P(B^C)P(C)$
$=\dfrac{4}{5}\times\left(1-\dfrac{3}{5}\right)\times\dfrac{1}{2}=\dfrac{4}{25}$
(i), (ii), (iii)은 서로 배반사건이므로 구하는 확률은
$\dfrac{6}{25}+\dfrac{3}{50}+\dfrac{4}{25}=\dfrac{23}{50}$

## 08 독립시행의 확률 본문 46쪽

**01** $P(A)=\dfrac{1}{2}$

**02** ${}_5C_2\left(\dfrac{1}{2}\right)^2\left(\dfrac{1}{2}\right)^3=\dfrac{5}{16}$

**03** $P(A)=\dfrac{2}{6}=\dfrac{1}{3}$

**04** ${}_3C_2\left(\dfrac{1}{3}\right)^2\left(\dfrac{2}{3}\right)^1=\dfrac{2}{9}$

**05** ${}_5C_3\left(\frac{1}{3}\right)^3\left(\frac{2}{3}\right)^2=\frac{40}{243}$

**06** ${}_4C_3\left(\frac{3}{4}\right)^3\left(\frac{1}{4}\right)^1=\frac{27}{64}$

**07** 정사면체를 한 번 던져서 바닥에 놓인 면에 적힌 숫자가 3일 확률은 $\frac{1}{4}$이므로 구하는 확률은

${}_4C_2\left(\frac{1}{4}\right)^2\left(\frac{3}{4}\right)^2=\frac{27}{128}$

**08** 오지선다형인 한 문제를 임의로 답할 때, 문제를 맞힐 확률은 $\frac{1}{5}$이므로 구하는 확률은

${}_3C_1\left(\frac{1}{5}\right)^1\left(\frac{4}{5}\right)^2=\frac{48}{125}$

**09** 4발을 쏘아서 3발 이상 명중시킬 확률은 3발 또는 4발을 명중시킬 확률이다.

(i) 3발을 명중시킬 확률 ${}_4C_3\left(\frac{2}{3}\right)^3\left(\frac{1}{3}\right)^1=\frac{32}{81}$

(ii) 4발을 명중시킬 확률 ${}_4C_4\left(\frac{2}{3}\right)^4\left(\frac{1}{3}\right)^0=\frac{16}{81}$

(i), (ii)는 서로 배반사건이므로 구하는 확률은

$\frac{32}{81}+\frac{16}{81}=\frac{16}{27}$

**10** 적어도 한 발 이상 명중시킬 확률은 전체 확률에서 1발도 명중시키지 못할 확률을 뺀 것과 같으므로

$1-{}_4C_0\left(\frac{2}{3}\right)^0\left(\frac{1}{3}\right)^4=1-\frac{1}{81}=\frac{80}{81}$

**11** 동전의 앞면이 나올 확률은 $\frac{1}{2}$, 뒷면이 나올 확률은 $\frac{1}{2}$이고, 한 개의 주사위를 한 번 던져서 6의 눈이 나올 확률은 $\frac{1}{6}$이다.

(i) 동전의 앞면이 나와서 주사위를 3번 던질 때, 6의 눈이 2번 나올 확률은 $\frac{1}{2}\times{}_3C_2\left(\frac{1}{6}\right)^2\left(\frac{5}{6}\right)^1=\frac{5}{144}$

(ii) 동전의 뒷면이 나와서 주사위를 2번 던질 때, 6의 눈이 2번 나올 확률은 $\frac{1}{2}\times{}_2C_2\left(\frac{1}{6}\right)^2\left(\frac{5}{6}\right)^0=\frac{1}{72}$

(i), (ii)는 서로 배반사건이므로 구하는 확률은

$\frac{5}{144}+\frac{1}{72}=\frac{7}{144}$

**12** 한 경기에서 A팀이 이길 확률은 $\frac{1}{2}$이다. A팀이 5번째 경기에서 우승하려면 4번째 경기까지는 3승 1패가 되어야 하고, 5번째 경기에서는 승리해야 한다.

4번째 경기까지 3승 1패일 확률은 ${}_4C_3\left(\frac{1}{2}\right)^3\left(\frac{1}{2}\right)^1=\frac{1}{4}$

따라서 A팀이 5번째 경기에서 우승할 확률은 $\frac{1}{4}\times\frac{1}{2}=\frac{1}{8}$

**13** 한 개의 동전을 던져서 앞면이 나올 확률은 $\frac{1}{2}$이다.

동전을 4번 던져서 앞면이 나오는 횟수를 $x$, 뒷면이 나오는 횟수를 $y$라고 하면 동전을 4번 던지므로 $x+y=4$ ······㉠

점 P가 처음 위치로 돌아올 때까지 움직인 거리는 6이므로

$2x+y=6$ ······㉡

㉠, ㉡을 연립하여 풀면 $x=2$, $y=2$

따라서 동전을 4번 던졌을 때, 앞면이 2번, 뒷면이 2번 나오면 되므로 구하는 확률은 ${}_4C_2\left(\frac{1}{2}\right)^2\left(\frac{1}{2}\right)^2=\frac{3}{8}$

**14** 한 개의 주사위를 던져서 2의 배수의 눈이 나올 확률은 $\frac{1}{2}$이다.

주사위를 6번 던져서 2의 배수의 눈이 나오는 횟수를 $x$, 그 이외의 눈이 나오는 횟수를 $y$라고 할 때, A 지점에서 B 지점까지 이동하려면 동쪽으로 4칸, 북쪽으로 2칸 이동해야 하므로

$x=4$, $y=2$

따라서 주사위를 6번 던졌을 때, 2의 배수의 눈이 4번, 그 이외의 눈이 2번 나오면 되므로 구하는 확률은

${}_6C_4\left(\frac{1}{2}\right)^4\left(\frac{1}{2}\right)^2=\frac{15}{64}$

**15** 한 개의 동전을 던져서 앞면이 나올 확률은 $\frac{1}{2}$이다.

동전을 6번 던져서 앞면이 나오는 횟수를 $x$, 뒷면이 나오는 횟수를 $y$라고 하면 동전을 6번 던지므로 $x+y=6$ ······㉠

점 P의 위치가 $-3$이므로 $2x-y=-3$ ······㉡

㉠, ㉡을 연립하여 풀면 $x=1$, $y=5$

따라서 동전을 6번 던져서 앞면이 1번, 뒷면이 5번 나오면 되므로 구하는 확률은 ${}_6C_1\left(\frac{1}{2}\right)^1\left(\frac{1}{2}\right)^5=\frac{3}{32}$

# Ⅲ. 통계

## 01 확률변수와 확률분포 본문 52쪽

**03**

| $X$ | 0 | 1 | 2 | 합계 |
|---|---|---|---|---|
| $P(X=x)$ | $\frac{1}{4}$ | $\frac{1}{2}$ | $\frac{1}{4}$ | 1 |

**06** $P(X=0)=\frac{{}_2C_2}{{}_4C_2}=\frac{1}{6}$, $P(X=1)=\frac{{}_2C_1\times{}_2C_1}{{}_4C_2}=\frac{2}{3}$

$P(X=2)=\frac{{}_2C_2}{{}_4C_2}=\frac{1}{6}$

따라서 확률분포표를 만들면 다음과 같다.

| $X$ | 0 | 1 | 2 | 합계 |
|---|---|---|---|---|
| $P(X=x)$ | $\frac{1}{6}$ | $\frac{2}{3}$ | $\frac{1}{6}$ | 1 |

## 02 이산확률변수와 확률질량함수 본문 53쪽

**05** 확률변수 $X$가 가질 수 있는 값은 0, 1, 2이다.

이때 주머니에서 2개의 공을 동시에 꺼내는 경우의 수는 ${}_7C_2$

꺼낸 공 중에서 빨간 공이 $x$개인 경우의 수는 ${}_3C_x \times {}_4C_{2-x}$
따라서 확률변수 $X$의 확률질량함수는

$P(X=x)=\dfrac{{}_3C_x \times {}_4C_{2-x}}{{}_7C_2}\ (x=0,\ 1,\ 2)$

**06** $P(X=0)=\dfrac{{}_3C_0 \times {}_4C_2}{{}_7C_2}=\dfrac{2}{7}$, $P(X=1)=\dfrac{{}_3C_1 \times {}_4C_1}{{}_7C_2}=\dfrac{4}{7}$

$P(X=2)=\dfrac{{}_3C_2 \times {}_4C_0}{{}_7C_2}=\dfrac{1}{7}$

이므로 $X$의 확률분포를 표로 나타내면 다음과 같다.

| $X$ | 0 | 1 | 2 | 합계 |
|---|---|---|---|---|
| $P(X=x)$ | $\frac{2}{7}$ | $\frac{4}{7}$ | $\frac{1}{7}$ | 1 |

**07** 빨간 공이 1개 이상 나올 확률은 $P(X\geq 1)$이므로

$P(X\geq 1)=P(X=1)+P(X=2)=\dfrac{4}{7}+\dfrac{1}{7}=\dfrac{5}{7}$

**08** 확률변수 $X$가 가질 수 있는 값은 0, 1, 2이다.
이때 남자 4명, 여자 2명 중에서 3명의 대표를 뽑는 경우의 수는 ${}_6C_3$
선출된 대표 중에서 여자가 $x$명인 경우의 수는 ${}_2C_x \times {}_4C_{3-x}$
따라서 확률변수 $X$의 확률질량함수는

$P(X=x)=\dfrac{{}_2C_x \times {}_4C_{3-x}}{{}_6C_3}\ (x=0,\ 1,\ 2)$

**09** $P(X=0)=\dfrac{{}_2C_0 \times {}_4C_3}{{}_6C_3}=\dfrac{1}{5}$, $P(X=1)=\dfrac{{}_2C_1 \times {}_4C_2}{{}_6C_3}=\dfrac{3}{5}$

$P(X=2)=\dfrac{{}_2C_2 \times {}_4C_1}{{}_6C_3}=\dfrac{1}{5}$

이므로 $X$의 확률분포를 표로 나타내면 다음과 같다.

| $X$ | 0 | 1 | 2 | 합계 |
|---|---|---|---|---|
| $P(X=x)$ | $\frac{1}{5}$ | $\frac{3}{5}$ | $\frac{1}{5}$ | 1 |

**10** 여자 대표가 1명 이하로 선출될 확률은 $P(X\leq 1)$이므로

$P(X\leq 1)=P(X=0)+P(X=1)=\dfrac{1}{5}+\dfrac{3}{5}=\dfrac{4}{5}$

**11** 확률변수 $X$가 가질 수 있는 값은 0, 1, 2, 3이고, 확률질량함수는

$P(X=x)=\dfrac{{}_4C_x \times {}_6C_{3-x}}{{}_{10}C_3}\ (x=0,\ 1,\ 2,\ 3)$

각각의 확률을 구하면

$P(X=0)=\dfrac{{}_4C_0 \times {}_6C_3}{{}_{10}C_3}=\dfrac{1}{6}$, $P(X=1)=\dfrac{{}_4C_1 \times {}_6C_2}{{}_{10}C_3}=\dfrac{1}{2}$

$P(X=2)=\dfrac{{}_4C_2 \times {}_6C_1}{{}_{10}C_3}=\dfrac{3}{10}$, $P(X=3)=\dfrac{{}_4C_3 \times {}_6C_0}{{}_{10}C_3}=\dfrac{1}{30}$

이므로 $X$의 확률분포를 표로 나타내면 다음과 같다.

| $X$ | 0 | 1 | 2 | 3 | 합계 |
|---|---|---|---|---|---|
| $P(X=x)$ | $\frac{1}{6}$ | $\frac{1}{2}$ | $\frac{3}{10}$ | $\frac{1}{30}$ | 1 |

따라서 구하는 확률은

$P(2\leq X\leq 3)=P(X=2)+P(X=3)=\dfrac{3}{10}+\dfrac{1}{30}=\dfrac{1}{3}$

**12** 나오는 두 눈의 수를 $a$, $b$라고 하면 순서쌍 $(a,\ b)$에 대하여
두 수의 합이 5인 경우는 (1, 4), (2, 3), (3, 2), (4, 1)의 4가지이므로 $P(X=5)=\dfrac{1}{9}$

6인 경우는 (1, 5), (2, 4), (3, 3), (4, 2), (5, 1)의 5가지이므로 $P(X=6)=\dfrac{5}{36}$

7인 경우는 (1, 6), (2, 5), (3, 4), (4, 3), (5, 2), (6, 1)의 6가지이므로 $P(X=7)=\dfrac{1}{6}$

$\therefore P(5\leq X\leq 7)=P(X=5)+P(X=6)+P(X=7)$

$=\dfrac{1}{9}+\dfrac{5}{36}+\dfrac{1}{6}=\dfrac{5}{12}$

**13** 두 수의 차가 1인 경우는 (3, 2), (2, 1), (1, 0)의 3가지이므로 $P(X=1)=\dfrac{1}{2}$

2인 경우는 (3, 1), (2, 0)의 2가지이므로 $P(X=2)=\dfrac{1}{3}$

3인 경우는 (3, 0)의 1가지이므로 $P(X=3)=\dfrac{1}{6}$

따라서 $X$의 확률분포를 표로 나타내면 다음과 같다.

| $X$ | 1 | 2 | 3 | 합계 |
|---|---|---|---|---|
| $P(X=x)$ | $\frac{1}{2}$ | $\frac{1}{3}$ | $\frac{1}{6}$ | 1 |

$X^2-3X+2\leq 0$을 풀면 $(X-1)(X-2)\leq 0$

$\therefore 1\leq X\leq 2$

$\therefore P(X^2-3X+2\leq 0)=P(1\leq X\leq 2)$

$=P(X=1)+P(X=2)$

$=\dfrac{1}{2}+\dfrac{1}{3}=\dfrac{5}{6}$

**14** 확률변수 $X$가 가질 수 있는 값은 0, 1, 2, 3이고, 확률질량함수는

$P(X=x)=\dfrac{{}_5C_x \times {}_3C_{3-x}}{{}_8C_3}\ (x=0,\ 1,\ 2,\ 3)$

각각의 확률을 구하면

$P(X=0)=\dfrac{{}_5C_0 \times {}_3C_3}{{}_8C_3}=\dfrac{1}{56}$, $P(X=1)=\dfrac{{}_5C_1 \times {}_3C_2}{{}_8C_3}=\dfrac{15}{56}$

$P(X=2)=\dfrac{{}_5C_2 \times {}_3C_1}{{}_8C_3}=\dfrac{15}{28}$, $P(X=3)=\dfrac{{}_5C_3 \times {}_3C_0}{{}_8C_3}=\dfrac{5}{28}$

이므로 $X$의 확률분포를 표로 나타내면 다음과 같다.

| $X$ | 0 | 1 | 2 | 3 | 합계 |
|---|---|---|---|---|---|
| $P(X=x)$ | $\frac{1}{56}$ | $\frac{15}{56}$ | $\frac{15}{28}$ | $\frac{5}{28}$ | 1 |

따라서 구하는 확률은

$P(1\leq X\leq 2)=P(X=1)+P(X=2)=\dfrac{15}{56}+\dfrac{15}{28}=\dfrac{45}{56}$

**15** 확률의 총합은 1이므로

$a+3a+\dfrac{1}{3}=1,\ 4a=\dfrac{2}{3}\quad \therefore a=\dfrac{1}{6}$

**16** $P(2\leq X\leq 3)=P(X=2)+P(X=3)$

$=3a+\dfrac{1}{3}=3\times\dfrac{1}{6}+\dfrac{1}{3}=\dfrac{5}{6}$

**17** 확률의 총합은 1이므로

$\dfrac{1}{8}+a+\dfrac{1}{4}+b+\dfrac{1}{8}=1\quad \therefore a+b=\dfrac{1}{2}$

**18** $P(X=3$ 또는 $X=5)=P(X=3)+P(X=5)$

$=\dfrac{1}{4}+\dfrac{1}{8}=\dfrac{3}{8}$

**19** $P(2 \le X \le 4) = P(X=2)+P(X=3)+P(X=4)$
$$= a + \frac{1}{4} + b = a + b + \frac{1}{4}$$
$$= \frac{1}{2} + \frac{1}{4} = \frac{3}{4}$$

**20** 확률의 총합은 1이므로
$P(X=1)+P(X=2)+P(X=3)+P(X=4)=1$
$k+2k+3k+4k=1,\ 10k=1 \quad \therefore k=\frac{1}{10}$

**21** 확률의 총합은 1이므로
$P(X=1)+P(X=2)+P(X=3)=1$
$\frac{k}{2}+\frac{k}{2^2}+\frac{k}{2^3}=1,\ \frac{7}{8}k=1 \quad \therefore k=\frac{8}{7}$

**22** 확률의 총합은 1이므로 $\frac{1}{2}+a^2+\frac{a}{2}=1,\ 2a^2+a-1=0$
$(2a-1)(a+1)=0 \quad \therefore a=\frac{1}{2}$ 또는 $a=-1$
이때 $0 \le P(X=x) \le 1$이므로 $a=\frac{1}{2}$
따라서 구하는 확률은
$P(X^2=1)=P(X=-1$ 또는 $X=1)$
$$=P(X=-1)+P(X=1)$$
$$=\frac{1}{2}+\frac{a}{2}=\frac{1}{2}+\frac{1}{2}\times\frac{1}{2}=\frac{3}{4}$$

**23** $p_1,\ p_2,\ p_3,\ p_4$가 이 순서대로 공차가 $\frac{1}{10}$인 등차수열을 이루므로
$p_2=p_1+\frac{1}{10},\ p_3=p_1+\frac{2}{10},\ p_4=p_1+\frac{3}{10}$
확률의 총합은 1이므로
$p_1+\left(p_1+\frac{1}{10}\right)+\left(p_1+\frac{2}{10}\right)+\left(p_1+\frac{3}{10}\right)=1$
$4p_1=\frac{4}{10} \quad \therefore p_1=\frac{1}{10}$
$X^2-5X+6 \le 0$을 풀면
$(X-2)(X-3) \le 0 \quad \therefore 2 \le X \le 3$
$\therefore P(X^2-5X+6 \le 0)=P(2 \le X \le 3)$
$$=P(X=2)+P(X=3)$$
$$=p_2+p_3=\left(p_1+\frac{1}{10}\right)+\left(p_1+\frac{2}{10}\right)$$
$$=2p_1+\frac{3}{10}=2\times\frac{1}{10}+\frac{3}{10}=\frac{1}{2}$$

## 03 이산확률변수의 기댓값(평균), 분산, 표준편차 본문 56쪽

**01** $E(X)=1\times\frac{1}{8}+2\times\frac{3}{8}+3\times\frac{3}{8}+4\times\frac{1}{8}=\frac{5}{2}$

**02** $E(X^2)=1^2\times\frac{1}{8}+2^2\times\frac{3}{8}+3^2\times\frac{3}{8}+4^2\times\frac{1}{8}=7$
이므로
$V(X)=E(X^2)-\{E(X)\}^2=7-\left(\frac{5}{2}\right)^2=\frac{3}{4}$

**03** $\sigma(X)=\sqrt{V(X)}=\sqrt{\frac{3}{4}}=\frac{\sqrt{3}}{2}$

**04** 확률의 총합은 1이므로
$a+\frac{1}{6}+\frac{1}{3}+\frac{1}{6}=1 \quad \therefore a=\frac{1}{3}$
$\therefore E(X)=1\times\frac{1}{3}+2\times\frac{1}{6}+3\times\frac{1}{3}+4\times\frac{1}{6}=\frac{7}{3}$

**05** $E(X^2)=1^2\times\frac{1}{3}+2^2\times\frac{1}{6}+3^2\times\frac{1}{3}+4^2\times\frac{1}{6}=\frac{20}{3}$
이므로
$V(X)=E(X^2)-\{E(X)\}^2=\frac{20}{3}-\left(\frac{7}{3}\right)^2=\frac{11}{9}$

**06** $\sigma(X)=\sqrt{V(X)}=\sqrt{\frac{11}{9}}=\frac{\sqrt{11}}{3}$

**07** 한 개의 주사위를 한 번 던질 때, 홀수의 눈이 나올 확률이 $\frac{1}{2}$, 짝수의 눈이 나올 확률이 $\frac{1}{2}$이므로
$P(X=0)=\frac{1}{2}\times\frac{1}{2}=\frac{1}{4}$
$P(X=1)=\frac{1}{2}\times\frac{1}{2}+\frac{1}{2}\times\frac{1}{2}=\frac{1}{2}$
$P(X=2)=\frac{1}{2}\times\frac{1}{2}=\frac{1}{4}$
따라서 $X$의 확률분포를 표로 나타내면 다음과 같다.

| $X$ | 0 | 1 | 2 | 합계 |
|---|---|---|---|---|
| $P(X=x)$ | $\frac{1}{4}$ | $\frac{1}{2}$ | $\frac{1}{4}$ | 1 |

**08** $E(X)=0\times\frac{1}{4}+1\times\frac{1}{2}+2\times\frac{1}{4}=1$
$E(X^2)=0^2\times\frac{1}{4}+1^2\times\frac{1}{2}+2^2\times\frac{1}{4}=\frac{3}{2}$이므로
$V(X)=E(X^2)-\{E(X)\}^2=\frac{3}{2}-1^2=\frac{1}{2}$
$\sigma(X)=\sqrt{V(X)}=\sqrt{\frac{1}{2}}=\frac{\sqrt{2}}{2}$

**09** 확률변수 $X$가 가질 수 있는 값은 0, 1, 2이고, 그 확률은 각각
$P(X=0)=\frac{{}_3C_2\times{}_2C_0}{{}_5C_2}=\frac{3}{10},\ P(X=1)=\frac{{}_3C_1\times{}_2C_1}{{}_5C_2}=\frac{3}{5}$
$P(X=2)=\frac{{}_3C_0\times{}_2C_2}{{}_5C_2}=\frac{1}{10}$
따라서 $X$의 확률분포를 표로 나타내면 다음과 같다.

| $X$ | 0 | 1 | 2 | 합계 |
|---|---|---|---|---|
| $P(X=x)$ | $\frac{3}{10}$ | $\frac{3}{5}$ | $\frac{1}{10}$ | 1 |

**10** $E(X)=0\times\frac{3}{10}+1\times\frac{3}{5}+2\times\frac{1}{10}=\frac{4}{5}$
$E(X^2)=0^2\times\frac{3}{10}+1^2\times\frac{3}{5}+2^2\times\frac{1}{10}=1$이므로
$V(X)=E(X^2)-\{E(X)\}^2=1-\left(\frac{4}{5}\right)^2=\frac{9}{25}$
$\sigma(X)=\sqrt{V(X)}=\sqrt{\frac{9}{25}}=\frac{3}{5}$

**11** 확률변수 $X$가 가질 수 있는 값은 0, 1, 2이고, 그 확률은 각각
$P(X=0)=\frac{{}_3C_0\times{}_3C_2}{{}_6C_2}=\frac{1}{5},\ P(X=1)=\frac{{}_3C_1\times{}_3C_1}{{}_6C_2}=\frac{3}{5}$

$P(X=2)=\frac{{}_3C_2\times{}_3C_0}{{}_6C_2}=\frac{1}{5}$

따라서 $X$의 확률분포를 표로 나타내면 다음과 같다.

| $X$ | 0 | 1 | 2 | 합계 |
|---|---|---|---|---|
| $P(X=x)$ | $\frac{1}{5}$ | $\frac{3}{5}$ | $\frac{1}{5}$ | 1 |

따라서 $X$의 평균은

$E(X)=0\times\frac{1}{5}+1\times\frac{3}{5}+2\times\frac{1}{5}=1$

**12** 동전의 앞면을 H, 뒷면을 T라고 할 때, 앞면이 나온 횟수가
0인 경우 (T, T, T, T)의 1가지
1인 경우 (H, T, T, T), (T, H, T, T), (T, T, H, T), (T, T, T, H)의 4가지
2인 경우 (H, H, T, T), (H, T, H, T), (H, T, T, H), (T, H, H, T), (T, H, T, H), (T, T, H, H)의 6가지
3인 경우 (H, H, H, T), (H, H, T, H), (H, T, H, H), (T, H, H, H)의 4가지
4인 경우 (H, H, H, H)의 1가지
이므로 $X$의 확률분포를 표로 나타내면 다음과 같다.

| $X$ | 0 | 1 | 2 | 3 | 4 | 합계 |
|---|---|---|---|---|---|---|
| $P(X=x)$ | $\frac{1}{16}$ | $\frac{1}{4}$ | $\frac{3}{8}$ | $\frac{1}{4}$ | $\frac{1}{16}$ | 1 |

$E(X)=0\times\frac{1}{16}+1\times\frac{1}{4}+2\times\frac{3}{8}+3\times\frac{1}{4}+4\times\frac{1}{16}=2$

$E(X^2)=0^2\times\frac{1}{16}+1^2\times\frac{1}{4}+2^2\times\frac{3}{8}+3^2\times\frac{1}{4}+4^2\times\frac{1}{16}$
$=5$

$\therefore V(X)=E(X^2)-\{E(X)\}^2=5-2^2=1$

**13** 나오는 두 수를 $a$, $b(a<b)$라고 하면 순서쌍 $(a, b)$에 대하여 두 수 중 큰 수가
2인 경우 (1, 2)의 1가지
3인 경우 (1, 3), (2, 3)의 2가지
4인 경우 (1, 4), (2, 4), (3, 4)의 3가지
이므로 확률변수 $X$가 가질 수 있는 값은 2, 3, 4이고, $X$의 확률분포를 표로 나타내면 다음과 같다.

| $X$ | 2 | 3 | 4 | 합계 |
|---|---|---|---|---|
| $P(X=x)$ | $\frac{1}{6}$ | $\frac{1}{3}$ | $\frac{1}{2}$ | 1 |

$E(X)=2\times\frac{1}{6}+3\times\frac{1}{3}+4\times\frac{1}{2}=\frac{10}{3}$

$E(X^2)=2^2\times\frac{1}{6}+3^2\times\frac{1}{3}+4^2\times\frac{1}{2}=\frac{35}{3}$

$V(X)=E(X^2)-\{E(X)\}^2=\frac{35}{3}-\left(\frac{10}{3}\right)^2=\frac{5}{9}$

$\therefore \sigma(X)=V(X)=\sqrt{\frac{5}{9}}=\frac{\sqrt{5}}{3}$

**14** 확률변수 $X$가 가질 수 있는 값은 0, 500, 1000이고, 그 확률은 각각

$P(X=0)=\frac{1}{2}\times\frac{1}{2}=\frac{1}{4}$

$P(X=500)=\frac{1}{2}\times\frac{1}{2}+\frac{1}{2}\times\frac{1}{2}=\frac{1}{2}$

$P(X=1000)=\frac{1}{2}\times\frac{1}{2}=\frac{1}{4}$

이므로 $X$의 확률분포를 표로 나타내면 다음과 같다.

| $X$ | 0 | 500 | 1000 | 합계 |
|---|---|---|---|---|
| $P(X=x)$ | $\frac{1}{4}$ | $\frac{1}{2}$ | $\frac{1}{4}$ | 1 |

$\therefore E(X)=0\times\frac{1}{4}+500\times\frac{1}{2}+1000\times\frac{1}{4}=500$

따라서 구하는 기댓값은 500원이다.

**15** 이 시행에서 받을 수 있는 금액을 확률변수 $X$라고 하면 $X$가 가질 수 있는 값은 100, 200, 300, 400, 500, 600이고, 각각의 확률은 $\frac{1}{6}$이므로 $X$의 확률분포를 표로 나타내면 다음과 같다.

| $X$ | 100 | 200 | 300 | 400 | 500 | 600 | 합계 |
|---|---|---|---|---|---|---|---|
| $P(X=x)$ | $\frac{1}{6}$ | $\frac{1}{6}$ | $\frac{1}{6}$ | $\frac{1}{6}$ | $\frac{1}{6}$ | $\frac{1}{6}$ | 1 |

$\therefore E(X)=100\times\frac{1}{6}+200\times\frac{1}{6}+300\times\frac{1}{6}+400\times\frac{1}{6}$
$+500\times\frac{1}{6}+600\times\frac{1}{6}=350$

따라서 구하는 기댓값은 350원이다.

**16** 이 시행에서 받을 수 있는 상금을 확률변수 $X$라고 하면 $X$가 가질 수 있는 값은 0, 1000, 2000, 3000이다.
동전의 앞면을 H, 뒷면을 T라고 할 때, 앞면이 나온 횟수가
0인 경우 (T, T, T)의 1가지
1인 경우 (H, T, T), (T, H, T), (T, T, H)의 3가지
2인 경우 (H, H, T), (H, T, H), (T, H, H)의 3가지
3인 경우 (H, H, H)의 1가지
이므로 $X$의 확률분포를 표로 나타내면 다음과 같다.

| $X$ | 0 | 1000 | 2000 | 3000 | 합계 |
|---|---|---|---|---|---|
| $P(X=x)$ | $\frac{1}{8}$ | $\frac{3}{8}$ | $\frac{3}{8}$ | $\frac{1}{8}$ | 1 |

$\therefore E(X)=0\times\frac{1}{8}+1000\times\frac{3}{8}+2000\times\frac{3}{8}+3000\times\frac{1}{8}$
$=1500$

따라서 구하는 기댓값은 1500원이다.

**17** 동전의 앞면을 H, 뒷면을 T라 하고, 동전 1개를 2번 던져서 나오는 결과를 표로 나타내면 다음과 같다.

| 첫 번째 | 두 번째 | 받는 금액(원) |
|---|---|---|
| H | H | 200 |
| H | T | 140 |
| T | H | 140 |
| T | T | 80 |

이 시행에서 상금으로 받는 금액을 확률변수 $X$라고 하면 $X$가 가질 수 있는 값은 80, 140, 200이고, 그 확률은 각각

$P(X=80)=\frac{1}{4}$, $P(X=140)=\frac{1}{2}$, $P(X=200)=\frac{1}{4}$

이므로 $X$의 확률분포를 표로 나타내면 다음과 같다.

| $X$ | 80 | 140 | 200 | 합계 |
|---|---|---|---|---|
| $P(X=x)$ | $\frac{1}{4}$ | $\frac{1}{2}$ | $\frac{1}{4}$ | 1 |

$\therefore \mathrm{E}(X)=80\times\frac{1}{4}+140\times\frac{1}{2}+200\times\frac{1}{4}=140$

따라서 구하는 기댓값은 140원이다.

**18** 동전의 앞면을 H, 뒷면을 T라 하고, 100원짜리 동전 1개와 50원짜리 동전 2개를 던져서 나오는 결과를 표로 나타내면 다음과 같다.

| 100원 | 50원 | 50원 | 받는 금액(원) |
|---|---|---|---|
| H | H | H | 200 |
| H | H | T | 150 |
| H | T | H | 150 |
| H | T | T | 100 |
| T | H | H | 100 |
| T | H | T | 50 |
| T | T | H | 50 |
| T | T | T | 0 |

이 시행에서 상금으로 받는 금액을 확률변수 $X$라고 하면 $X$가 가질 수 있는 값은 0, 50, 100, 150, 200이고, 그 확률은 각각

$\mathrm{P}(X=0)=\frac{1}{8}$, $\mathrm{P}(X=50)=\frac{1}{4}$, $\mathrm{P}(X=100)=\frac{1}{4}$,

$\mathrm{P}(X=150)=\frac{1}{4}$, $\mathrm{P}(X=200)=\frac{1}{8}$

이므로 $X$의 확률분포를 표로 나타내면 다음과 같다.

| $X$ | 0 | 50 | 100 | 150 | 200 | 합계 |
|---|---|---|---|---|---|---|
| $\mathrm{P}(X=x)$ | $\frac{1}{8}$ | $\frac{1}{4}$ | $\frac{1}{4}$ | $\frac{1}{4}$ | $\frac{1}{8}$ | 1 |

$\therefore \mathrm{E}(X)=0\times\frac{1}{8}+50\times\frac{1}{4}+100\times\frac{1}{4}+150\times\frac{1}{4}$

$+200\times\frac{1}{8}=100$

따라서 구하는 기댓값은 100원이다.

**19** 이 시행에서 받을 수 있는 상금을 확률변수 $X$라고 하면 $X$가 가질 수 있는 값은 600, 900, 1200이고, 그 확률은 각각

$\mathrm{P}(X=600)=\frac{{}_4\mathrm{C}_2\times{}_2\mathrm{C}_0}{{}_6\mathrm{C}_2}=\frac{2}{5}$

$\mathrm{P}(X=900)=\frac{{}_4\mathrm{C}_1\times{}_2\mathrm{C}_1}{{}_6\mathrm{C}_2}=\frac{8}{15}$

$\mathrm{P}(X=1200)=\frac{{}_4\mathrm{C}_0\times{}_2\mathrm{C}_2}{{}_6\mathrm{C}_2}=\frac{1}{15}$

이므로 $X$의 확률분포를 표로 나타내면 다음과 같다.

| $X$ | 600 | 900 | 1200 | 합계 |
|---|---|---|---|---|
| $\mathrm{P}(X=x)$ | $\frac{2}{5}$ | $\frac{8}{15}$ | $\frac{1}{15}$ | 1 |

$\therefore \mathrm{E}(X)=600\times\frac{2}{5}+900\times\frac{8}{15}+1200\times\frac{1}{15}=800$

따라서 구하는 기댓값은 800원이다.

## 04 이산확률변수 $aX+b$의 평균, 분산, 표준편차 본문 59쪽

**01** $\mathrm{E}(2X)=2\mathrm{E}(X)=2\times10=20$

$\mathrm{V}(2X)=2^2\mathrm{V}(X)=4\times4=16$

$\sigma(2X)=2\sigma(X)=2\times2=4$

**02** $\mathrm{E}(3X-2)=3\mathrm{E}(X)-2=3\times10-2=28$

$\mathrm{V}(3X-2)=3^2\mathrm{V}(X)=9\times4=36$

$\sigma(3X-2)=3\sigma(X)=3\times2=6$

**03** $\mathrm{E}\left(-\frac{1}{2}X+3\right)=-\frac{1}{2}\mathrm{E}(X)+3=\left(-\frac{1}{2}\right)\times10+3=-2$

$\mathrm{V}\left(-\frac{1}{2}X+3\right)=\left(-\frac{1}{2}\right)^2\mathrm{V}(X)=\frac{1}{4}\times4=1$

$\sigma\left(-\frac{1}{2}X+3\right)=\left|-\frac{1}{2}\right|\sigma(X)=\frac{1}{2}\times2=1$

**04** $\mathrm{V}(X)=\mathrm{E}(X^2)-\{\mathrm{E}(X)\}^2$에서

$3=\mathrm{E}(X^2)-2^2 \quad \therefore \mathrm{E}(X^2)=7$

$\therefore \mathrm{E}(2X^2-3)=2\mathrm{E}(X^2)-3=2\times7-3=11$

**05** $\mathrm{E}(X)=-2$, $\mathrm{V}(X)=1$이므로

$\mathrm{E}(Y)=1$에서 $\mathrm{E}(aX+b)=1$, $a\mathrm{E}(X)+b=1$

$\therefore -2a+b=1 \quad \cdots\cdots ㉠$

$\mathrm{V}(Y)=4$에서 $\mathrm{V}(aX+b)=4$, $a^2\mathrm{V}(X)=4$

$a^2=4 \quad \therefore a=2\ (\because a>0)$

$a=2$를 ㉠에 대입하면 $b=5$

$\therefore a+b=7$

**06** $\mathrm{E}(Y)=3$에서 $\mathrm{E}(2X-1)=3$, $2\mathrm{E}(X)-1=3$

$2\mathrm{E}(X)=4 \quad \therefore \mathrm{E}(X)=2$

$\mathrm{E}(Y^2)=29$이므로 $\mathrm{V}(Y)=\mathrm{E}(Y^2)-\{\mathrm{E}(Y)\}^2$에서

$\mathrm{V}(Y)=29-3^2=20$

$\mathrm{V}(2X-1)=20$이므로

$4\mathrm{V}(X)=20 \quad \therefore \mathrm{V}(X)=5$

$\therefore \mathrm{E}(X)\mathrm{V}(X)=2\times5=10$

**07** $\mathrm{E}(X)=0\times\frac{1}{6}+1\times\frac{1}{3}+2\times\frac{1}{3}+3\times\frac{1}{6}=\frac{3}{2}$

$\therefore \mathrm{E}(6X-2)=6\mathrm{E}(X)-2=6\times\frac{3}{2}-2=7$

**08** $\mathrm{E}(X^2)=0^2\times\frac{1}{6}+1^2\times\frac{1}{3}+2^2\times\frac{1}{3}+3^2\times\frac{1}{6}=\frac{19}{6}$

$\mathrm{V}(X)=\mathrm{E}(X^2)-\{\mathrm{E}(X)\}^2=\frac{19}{6}-\left(\frac{3}{2}\right)^2=\frac{11}{12}$

$\therefore \mathrm{V}(6X-2)=6^2\mathrm{V}(X)=36\times\frac{11}{12}=33$

**09** $\sigma(X)=\sqrt{\mathrm{V}(X)}=\sqrt{\frac{11}{12}}=\frac{\sqrt{33}}{6}$

$\therefore \sigma(6X-2)=6\sigma(X)=6\times\frac{\sqrt{33}}{6}=\sqrt{33}$

**10** $\mathrm{E}(4X+7)=4\mathrm{E}(X)+7=4\times\frac{3}{2}+7=13$

**11** $\sigma(-3X+1)=|-3|\sigma(X)=3\times\frac{\sqrt{33}}{6}=\frac{\sqrt{33}}{2}$

**12** 확률의 총합은 1이므로

$\frac{1}{6}+4a+a=1$, $5a=\frac{5}{6} \quad \therefore a=\frac{1}{6}$

**13** $\mathrm{E}(X)=(-1)\times\frac{1}{6}+0\times\frac{2}{3}+1\times\frac{1}{6}=0$

$\therefore \mathrm{E}(3X-1)=3\mathrm{E}(X)-1=3\times0-1=-1$

**14** $\mathrm{E}(X^2)=(-1)^2\times\frac{1}{6}+0^2\times\frac{2}{3}+1^2\times\frac{1}{6}=\frac{1}{3}$

$V(X)=E(X^2)-\{E(X)\}^2=\frac{1}{3}-0^2=\frac{1}{3}$

$\therefore V(2X+5)=2^2V(X)=4\times\frac{1}{3}=\frac{4}{3}$

**15** 확률의 총합은 1이므로

$a+2a+a=1,\ 4a=1 \quad \therefore a=\frac{1}{4}$

$E(X)=1\times\frac{1}{4}+2\times\frac{1}{2}+3\times\frac{1}{4}=2$

$E(X^2)=1^2\times\frac{1}{4}+2^2\times\frac{1}{2}+3^2\times\frac{1}{4}=\frac{9}{2}$

$V(X)=E(X^2)-\{E(X)\}^2=\frac{9}{2}-2^2=\frac{1}{2}$

$\therefore \sigma(4X-5)=4\sigma(X)=4\sqrt{V(X)}=4\times\sqrt{\frac{1}{2}}=2\sqrt{2}$

**16** $X$가 가질 수 있는 값은 1, 2, 3, 4, 5, 6이고, 그 확률은 각각 $\frac{1}{6}$이므로 확률분포를 표로 나타내면 다음과 같다.

| $X$ | 1 | 2 | 3 | 4 | 5 | 6 | 합계 |
|---|---|---|---|---|---|---|---|
| $P(X=x)$ | $\frac{1}{6}$ | $\frac{1}{6}$ | $\frac{1}{6}$ | $\frac{1}{6}$ | $\frac{1}{6}$ | $\frac{1}{6}$ | 1 |

**17** $E(X)=1\times\frac{1}{6}+2\times\frac{1}{6}+3\times\frac{1}{6}+4\times\frac{1}{6}+5\times\frac{1}{6}+6\times\frac{1}{6}=\frac{7}{2}$

$\therefore E(4X+3)=4E(X)+3=4\times\frac{7}{2}+3=17$

**18** $E(X^2)=1^2\times\frac{1}{6}+2^2\times\frac{1}{6}+3^2\times\frac{1}{6}+4^2\times\frac{1}{6}+5^2\times\frac{1}{6}+6^2\times\frac{1}{6}=\frac{91}{6}$

$V(X)=E(X^2)-\{E(X)\}^2=\frac{91}{6}-\left(\frac{7}{2}\right)^2=\frac{35}{12}$

$\therefore V(4X+3)=4^2V(X)=16\times\frac{35}{12}=\frac{140}{3}$

**19** $\sigma(4X+3)=4\sigma(X)=4\sqrt{V(X)}=4\times\sqrt{\frac{35}{12}}=\frac{2\sqrt{105}}{3}$

**20** $X$가 가질 수 있는 값은 0, 1, 2이고, 그 확률은 각각

$P(X=0)=\frac{{}_3C_0\times{}_2C_2}{{}_5C_2}=\frac{1}{10},\ P(X=1)=\frac{{}_3C_1\times{}_2C_1}{{}_5C_2}=\frac{3}{5}$

$P(X=2)=\frac{{}_3C_2\times{}_2C_0}{{}_5C_2}=\frac{3}{10}$

이므로 $X$의 확률분포를 표로 나타내면 다음과 같다.

| $X$ | 0 | 1 | 2 | 합계 |
|---|---|---|---|---|
| $P(X=x)$ | $\frac{1}{10}$ | $\frac{3}{5}$ | $\frac{3}{10}$ | 1 |

**21** $E(X)=0\times\frac{1}{10}+1\times\frac{3}{5}+2\times\frac{3}{10}=\frac{6}{5}$

$\therefore E(5X-3)=5E(X)-3=5\times\frac{6}{5}-3=3$

**22** $E(X^2)=0^2\times\frac{1}{10}+1^2\times\frac{3}{5}+2^2\times\frac{3}{10}=\frac{9}{5}$

$V(X)=E(X^2)-\{E(X)\}^2=\frac{9}{5}-\left(\frac{6}{5}\right)^2=\frac{9}{25}$

$\therefore V(5X-3)=5^2V(X)=25\times\frac{9}{25}=9$

**23** $X$가 가질 수 있는 값은 1, 2, 3이고, 그 확률은 각각

$P(X=1)=\frac{{}_4C_1\times{}_2C_2}{{}_6C_3}=\frac{1}{5},\ P(X=2)=\frac{{}_4C_2\times{}_2C_1}{{}_6C_3}=\frac{3}{5}$

$P(X=3)=\frac{{}_4C_3\times{}_2C_0}{{}_6C_3}=\frac{1}{5}$

이므로 $X$의 확률분포를 표로 나타내면 다음과 같다.

| $X$ | 1 | 2 | 3 | 합계 |
|---|---|---|---|---|
| $P(X=x)$ | $\frac{1}{5}$ | $\frac{3}{5}$ | $\frac{1}{5}$ | 1 |

$E(X)=1\times\frac{1}{5}+2\times\frac{3}{5}+3\times\frac{1}{5}=2$

$E(X^2)=1^2\times\frac{1}{5}+2^2\times\frac{3}{5}+3^2\times\frac{1}{5}=\frac{22}{5}$

$V(X)=E(X^2)-\{E(X)\}^2=\frac{22}{5}-2^2=\frac{2}{5}$

$\therefore V(5X+7)=5^2V(X)=25\times\frac{2}{5}=10$

## 05 이항분포 본문 62쪽

**01** 앞면이 나올 확률이 $\frac{1}{2}$이므로 앞면이 나오는 동전의 개수 $X$는 이항분포 $B\left(6,\ \frac{1}{2}\right)$을 따른다.

**02** 구슬 2개를 꺼낼 때, 처음 1개를 꺼내는 시행과 다음에 1개를 뽑는 시행은 서로 독립이 아니므로 이항분포를 따르지 않는다.

**03** 3의 배수의 눈이 나올 확률이 $\frac{1}{3}$이므로 3의 배수의 눈이 나오는 횟수 $X$는 이항분포 $B\left(50,\ \frac{1}{3}\right)$을 따른다.

**04** 2개 모두 앞면이 나올 확률이 $\frac{1}{4}$이므로 2개 모두 앞면이 나오는 횟수 $X$는 이항분포 $B\left(4,\ \frac{1}{4}\right)$을 따른다.

**06** $P(X=2)={}_4C_2\left(\frac{1}{4}\right)^2\left(\frac{3}{4}\right)^2=\frac{27}{128}$

**07** 명중할 확률이 $\frac{2}{3}$이므로 확률변수 $X$는 이항분포 $B\left(5,\ \frac{2}{3}\right)$를 따른다. $X$의 확률질량함수는

$P(X=x)={}_5C_x\left(\frac{2}{3}\right)^x\left(\frac{1}{3}\right)^{5-x}\ (x=1,\ 2,\ \cdots,\ 5)$

따라서 4발 이상 명중시킬 확률은

$P(X\geq4)=P(X=4)+P(X=5)$

$={}_5C_4\left(\frac{2}{3}\right)^4\left(\frac{1}{3}\right)^1+{}_5C_5\left(\frac{2}{3}\right)^5\left(\frac{1}{3}\right)^0$

$=\frac{80}{243}+\frac{32}{243}=\frac{112}{243}$

**08** $E(X)=10\times\frac{2}{5}=4$

**09** $V(X)=10\times\frac{2}{5}\times\frac{3}{5}=\frac{12}{5}$

**10** $\sigma(X)=\sqrt{V(X)}=\sqrt{\frac{12}{5}}=\frac{2\sqrt{15}}{5}$

**11** 확률변수 $X$는 이항분포 $B\left(30,\ \frac{1}{3}\right)$을 따르므로

$E(X)=30\times\frac{1}{3}=10$

$V(X)=30\times\frac{1}{3}\times\frac{2}{3}=\frac{20}{3}$

**12** $E(X)=10\times p=5$이므로 $p=\frac{1}{2}$

$V(X)=10\times\frac{1}{2}\times\frac{1}{2}=\frac{5}{2}$이므로

$V(X)=E(X^2)-\{E(X)\}^2$에서

$E(X^2)=V(X)+\{E(X)\}^2=\frac{5}{2}+5^2=\frac{55}{2}$

**13** $E(X)=np=20$ ……㉠

$V(X)=np(1-p)=16$ ……㉡

㉡에 ㉠을 대입하면

$20(1-p)=16,\ 1-p=\frac{4}{5}\quad\therefore p=\frac{1}{5}$

$p=\frac{1}{5}$을 ㉠에 대입하면 $\frac{1}{5}n=20\quad\therefore n=100$

**14** 앞면이 나올 확률이 $\frac{1}{2}$이므로 앞면이 나오는 동전의 개수 $X$는 이항분포 $B\left(100,\ \frac{1}{2}\right)$을 따른다.

$\therefore E(X)=100\times\frac{1}{2}=50$

**15** $V(X)=100\times\frac{1}{2}\times\frac{1}{2}=25$

**16** $\sigma(X)=\sqrt{V(X)}=\sqrt{25}=5$

**17** 발아율이 20 %이므로 확률변수 X는 이항분포 $B\left(5000,\ \frac{1}{5}\right)$을 따른다.

$\therefore E(X)=5000\times\frac{1}{5}=1000$

**18** 흰 공이 나올 확률이 $\frac{4}{5}$이므로 확률변수 $X$는 이항분포 $B\left(100,\ \frac{4}{5}\right)$를 따른다.

$\therefore V(X)=100\times\frac{4}{5}\times\frac{1}{5}=16$

**19** 치료율이 60 %이므로 확률변수 $X$는 이항분포 $B\left(1000,\ \frac{3}{5}\right)$을 따른다.

$V(X)=1000\times\frac{3}{5}\times\frac{2}{5}=240$

$\therefore \sigma(X)=\sqrt{V(X)}=\sqrt{240}=4\sqrt{15}$

**20** A가 이길 확률이 $\frac{1}{3}$이므로 확률변수 $X$는 이항분포 $B\left(15,\ \frac{1}{3}\right)$을 따른다.

$E(X)=15\times\frac{1}{3}=5,\ V(X)=15\times\frac{1}{3}\times\frac{2}{3}=\frac{10}{3}$

이므로 $V(X)=E(X^2)-\{E(X)\}^2$에서

$E(X^2)=V(X)+\{E(X)\}^2=\frac{10}{3}+5^2=\frac{85}{3}$

**21** 3의 배수의 눈이 나올 확률이 $\frac{1}{3}$이므로 확률변수 $X$는 이항분포 $B\left(n,\ \frac{1}{3}\right)$을 따른다.

$E(X)=9$이므로 $n\times\frac{1}{3}=9\quad\therefore n=27$

$V(X)=27\times\frac{1}{3}\times\frac{2}{3}=6$

이므로 $V(X)=E(X^2)-\{E(X)\}^2$에서

$E(X^2)=V(X)+\{E(X)\}^2=6+9^2=87$

**23** 뒷면이 나올 확률이 $\frac{1}{2}$이므로 확률변수 $X$는 이항분포 $B\left(20,\ \frac{1}{2}\right)$을 따른다.

$V(X)=20\times\frac{1}{2}\times\frac{1}{2}=5$

$\therefore V\left(\frac{1}{5}X+1\right)=\left(\frac{1}{5}\right)^2V(X)=\frac{1}{25}\times5=\frac{1}{5}$

**24** $E(X)=n\times\frac{1}{4}=\frac{1}{4}n$

$V(X)=n\times\frac{1}{4}\times\frac{3}{4}=\frac{3}{16}n$

$V(X)=E(X^2)-\{E(X)\}^2$이므로

$\frac{3}{16}n=13-\left(\frac{1}{4}n\right)^2,\ n^2+3n-208=0$

$(n+16)(n-13)=0\quad\therefore n=13\ (\because n>0)$

따라서 $E(X)=13\times\frac{1}{4}=\frac{13}{4}$이므로

$E(4X-7)=4E(X)-7=4\times\frac{13}{4}-7=6$

## 06 연속확률변수와 확률밀도함수 본문 65쪽

**01** 어떤 범위에 속하는 모든 실수 값을 가지므로 연속확률변수이다.

**02** 셀 수 있으므로 이산확률변수이다.

**03** 어떤 범위에 속하는 모든 실수 값을 가지므로 연속확률변수이다.

**04** 셀 수 있으므로 이산확률변수이다.

**05** 연속확률변수 $X$의 확률밀도함수 $f(x)$의 그래프는 오른쪽 그림과 같다. 이때 $P(X\geq2)$는 오른쪽 그림의 색칠한 부분의 넓이와 같으므로

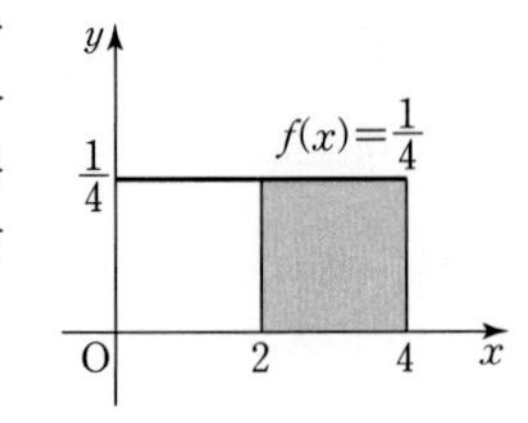


$P(X\geq2)=2\times\frac{1}{4}=\frac{1}{2}$

**06** 연속확률변수 $X$의 확률밀도함수 $f(x)$의 그래프는 오른쪽 그림과 같다. 이때 $P\left(\frac{1}{2}\leq X\leq1\right)$은 오른쪽 그림의 색칠한 부분의 넓이와 같으므로

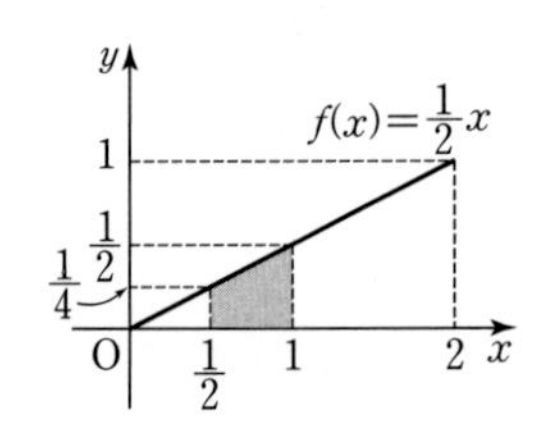

$\mathrm{P}\left(\frac{1}{2} \le X \le 1\right)$

$= \frac{1}{2} \times \left(\frac{1}{4} + \frac{1}{2}\right) \times \frac{1}{2} = \frac{3}{16}$

**07** 연속확률변수 $X$의 확률밀도함수 $f(x)$의 그래프는 오른쪽 그림과 같다. 이때 $\mathrm{P}\left(0 \le X \le \frac{1}{2}\right)$은 오른쪽 그림의 색칠한 부분의 넓이와 같으므로

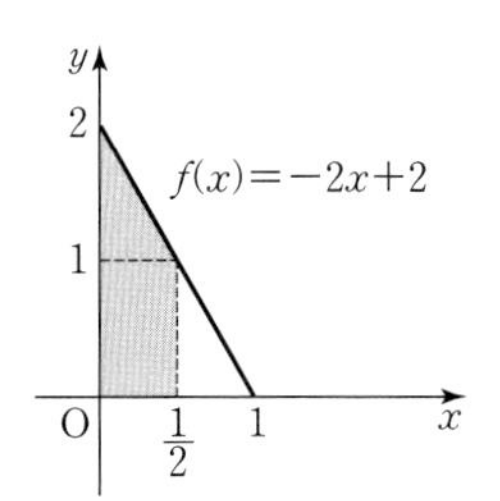


$\mathrm{P}\left(0 \le X \le \frac{1}{2}\right)$

$= \frac{1}{2} \times (2+1) \times \frac{1}{2} = \frac{3}{4}$

**08** $f(x)=k$의 그래프와 $x$축 및 두 직선 $x=0$, $x=5$로 둘러싸인 직사각형의 넓이가 1이므로

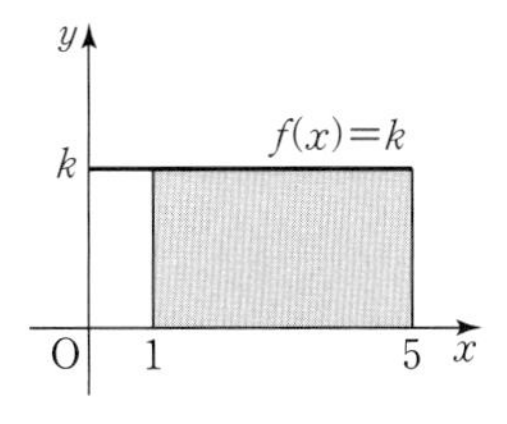


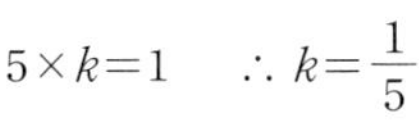

$5 \times k = 1 \quad \therefore k = \frac{1}{5}$

**09** $\mathrm{P}(X \ge 1)$은 위의 그림의 색칠한 부분의 넓이와 같으므로

$\mathrm{P}(X \ge 1) = (5-1) \times \frac{1}{5} = \frac{4}{5}$

**10** $f(x)=ax$의 그래프와 $x$축 및 직선 $x=2$로 둘러싸인 삼각형의 넓이가 1이므로

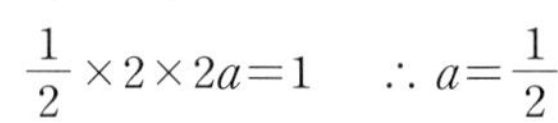 

$\frac{1}{2} \times 2 \times 2a = 1 \quad \therefore a = \frac{1}{2}$

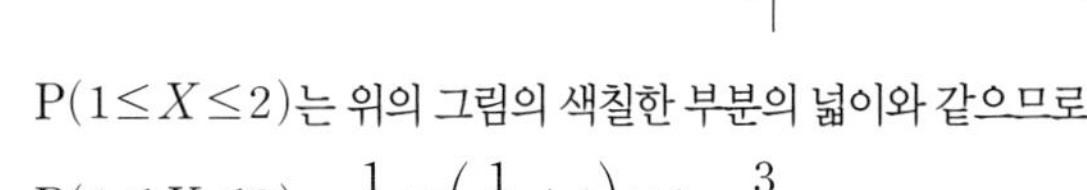

**11** $\mathrm{P}(1 \le X \le 2)$는 위의 그림의 색칠한 부분의 넓이와 같으므로

$\mathrm{P}(1 \le X \le 2) = \frac{1}{2} \times \left(\frac{1}{2} + 1\right) \times 1 = \frac{3}{4}$

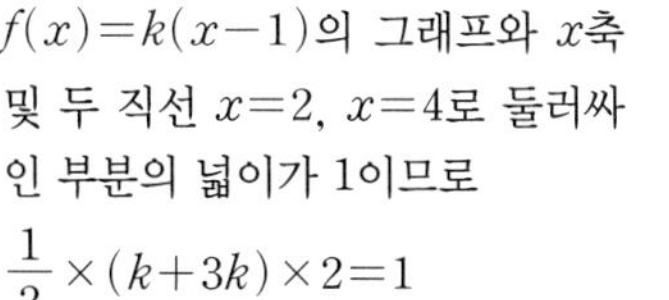

**12** $f(x)=k(x-1)$의 그래프와 $x$축 및 두 직선 $x=2$, $x=4$로 둘러싸인 부분의 넓이가 1이므로

$\frac{1}{2} \times (k+3k) \times 2 = 1$

$4k = 1 \quad \therefore k = \frac{1}{4}$

**13** 연속확률변수 $X$의 확률밀도함수 $f(x)$의 그래프는 오른쪽 그림과 같다.

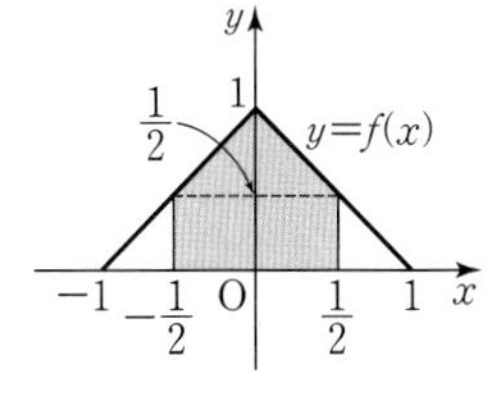


이때 $\mathrm{P}\left(-\frac{1}{2} \le X \le \frac{1}{2}\right)$은 오른쪽 그림의 색칠한 부분의 넓이와 같으므로

$\mathrm{P}\left(-\frac{1}{2} \le X \le \frac{1}{2}\right) = \mathrm{P}\left(-\frac{1}{2} \le X \le 0\right) + \mathrm{P}\left(0 \le X \le \frac{1}{2}\right)$

$= 2 \times \frac{1}{2} \times \left(\frac{1}{2} + 1\right) \times \frac{1}{2} = \frac{3}{4}$

**14** $y=f(x)$의 그래프와 $x$축으로 둘러싸인 부분의 넓이가 1이므로

$\frac{1}{2} \times 4 \times a = 1 \quad \therefore a = \frac{1}{2}$

**15** $\mathrm{P}(1 \le X \le 3)$은 오른쪽 그림의 색칠한 부분의 넓이와 같다.

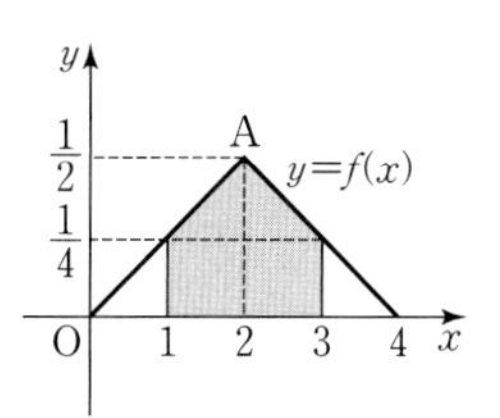


직선 OA의 방정식을 구하면

$y = \frac{\frac{1}{2}}{2}x \quad \therefore y = \frac{1}{4}x$

$x=1$일 때의 $y$의 값은 $y = \frac{1}{4}$

그래프가 직선 $x=2$에 대하여 대칭이므로 구하는 확률은

$\mathrm{P}(1 \le X \le 3) = 1 - 2 \times \left(\frac{1}{2} \times 1 \times \frac{1}{4}\right) = \frac{3}{4}$

**16** $y=f(x)$의 그래프와 $x$축 및 선 $x=2$로 둘러싸인 부분의 넓이가 1이므로

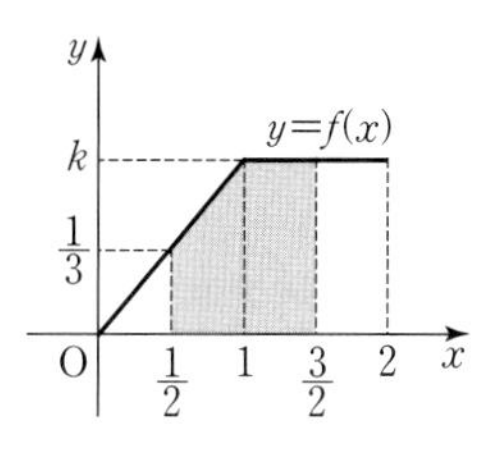


$\frac{1}{2} \times 1 \times k + 1 \times k = 1$

$\frac{3}{2}k = 1 \quad \therefore k = \frac{2}{3}$

이때 $\mathrm{P}\left(\frac{1}{2} \le X \le \frac{3}{2}\right)$은 위의 그림의 색칠한 부분의 넓이와 같다.

직선 OA의 방정식을 구하면 $y = \frac{\frac{2}{3}}{1}x \quad \therefore y = \frac{2}{3}x$

$x = \frac{1}{2}$일 때의 $y$의 값은 $y = \frac{1}{3}$

따라서 구하는 확률은

$\mathrm{P}\left(\frac{1}{2} \le X \le \frac{3}{2}\right) = \frac{1}{2} \times \left(\frac{1}{2} + \frac{3}{2}\right) \times \frac{2}{3} - \frac{1}{2} \times \frac{1}{2} \times \frac{1}{3}$

$= \frac{7}{12}$

## 07 정규분포 본문 67쪽

**01** 평균이 10, 분산이 $4=2^2$이므로 $\mathrm{N}(10,\ 2^2)$

**02** 평균이 7, 분산이 $9=3^2$이므로 $\mathrm{N}(7,\ 3^2)$

**03** 평균이 4, 표준편차가 3이므로 $\mathrm{N}(4,\ 3^2)$

**04** 확률변수 $X$가 정규분포 $\mathrm{N}(20,\ 5^2)$을 따르므로

$\mathrm{E}(X)=20,\ \sigma(X)=5$

$\mathrm{E}(Y)=\mathrm{E}(3X-5)=3\mathrm{E}(X)-5=3\times20-5=55$

**05** $\sigma(Y)=\sigma(3X-5)=3\sigma(X)=3\times5=15$

**06** $\mathrm{E}(Y)=55$, $r(Y)=15$이므로 $\mathrm{N}(55,\ 15^2)$

## 08 정규분포곡선의 성질 본문 68쪽

**03** 표준편차 $\sigma$의 값이 작을수록 곡선은 옆으로 좁아진다. (거짓)

**05** 두 학교 A, B의 정규분포곡선이 각각 직선 $x=m_1$, $x=m_2$에 대하여 대칭이므로 $m_1 < m_2$

**06** 표준편차가 클수록 정규분포 곡선의 가운데 부분의 높이는 낮아지고 옆으로 퍼지므로 $\sigma_1 > \sigma_2$

**07** A학교보다 B학교의 성적의 편차가 작으므로 과학 성적이 고른 학교는 B학교이다.

**08** 오른쪽 그림과 같이 확률변수 $X$의 확률밀도함수의 그래프는 직선 $x=m$에 대하여 대칭이므로

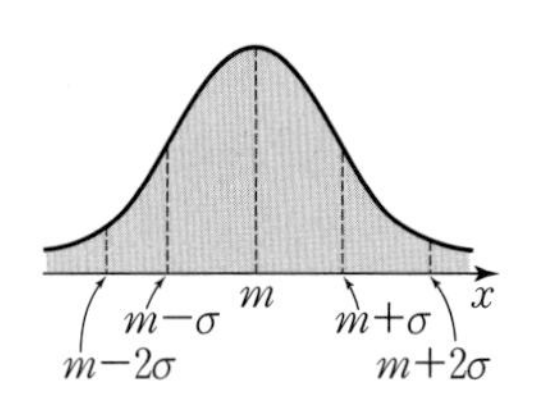


$\mathrm{P}(m-\sigma\le X\le m+\sigma)$
$=\mathrm{P}(m-\sigma\le X\le m)$
$\quad+\mathrm{P}(m\le X\le m+\sigma)$
$=2\mathrm{P}(m\le X\le m+\sigma)=2a$

**09** $\mathrm{P}(X\ge m-\sigma)=\mathrm{P}(m-\sigma\le X\le m)+\mathrm{P}(X\ge m)$
$=\mathrm{P}(m\le X\le m+\sigma)+\mathrm{P}(X\ge m)$
$=a+0.5$

**10** $\mathrm{P}(X\ge m+2\sigma)=\mathrm{P}(X\ge m)-\mathrm{P}(m\le X\le m+2\sigma)$
$=0.5-b$

**11** $\mathrm{P}(m-2\sigma\le X\le m+2\sigma)$
$=2\mathrm{P}(m\le X\le m+2\sigma)=0.9544$
$\therefore \mathrm{P}(m\le X\le m+2\sigma)=0.4772$

**12** $\mathrm{P}(X\ge m-2\sigma)$
$=\mathrm{P}(m-2\sigma\le X\le m)+\mathrm{P}(X\ge m)$
$=\mathrm{P}(m\le X\le m+2\sigma)+\mathrm{P}(X\ge m)$
$=0.4772+0.5=0.9772$

**13** 정규분포곡선은 직선 $x=m$에 대하여 대칭이고,
$\mathrm{P}(X\ge 25)=\mathrm{P}(X\le 15)$이므로
$m=\dfrac{25+15}{2}=20$

**14** 정규분포곡선은 직선 $x=m$에 대하여 대칭이고,
$\mathrm{P}(X\le 30)=\mathrm{P}(X\ge 10+m)$이므로
$m=\dfrac{30+(10+m)}{2}\qquad\therefore m=40$

**15** 정규분포 $\mathrm{N}(20,\ 4^2)$을 따르는 정규분포곡선은 $x=20$에 대하여 대칭이므로
$\mathrm{P}(X\le a)=\mathrm{P}(X\ge a+2)$가 최대가 되려면 오른쪽 그림과 같이 $a$, $a+2$의 중점이 평균인 20이어야 한다. 즉,
$\dfrac{a+(a+2)}{2}=20,\ 2a+2=40\qquad\therefore a=19$

**16** $\mathrm{P}(X\ge k)=0.9772$에서
$\mathrm{P}(k\le X\le m)+\mathrm{P}(X\ge m)=0.9772$
$\mathrm{P}(k\le X\le m)+0.5=0.9772$
$\therefore \mathrm{P}(k\le X\le m)=0.4772$
한편 $\mathrm{P}(X\ge m+2\sigma)=0.0228$에서
$\mathrm{P}(X\ge m)-\mathrm{P}(m\le X\le m+2\sigma)=0.0228$
$0.5-\mathrm{P}(m\le X\le m+2\sigma)=0.0228$
$\mathrm{P}(m\le X\le m+2\sigma)=0.4772$
$\therefore \mathrm{P}(m-2\sigma\le X\le m)=0.4772$
따라서 $k=m-2$이므로 $k=50-2\times 5=40$

## 09 표준정규분포 본문 70쪽

**01** $\mathrm{P}(-1.5\le Z\le 1.5)$
$=\mathrm{P}(-1.5\le Z\le 0)+\mathrm{P}(0\le Z\le 1.5)$
$=\mathrm{P}(0\le Z\le 1.5)+\mathrm{P}(0\le Z\le 1.5)$
$=0.4332+0.4332=0.8664$

**02** $\mathrm{P}(1.5\le Z\le 2)=\mathrm{P}(0\le Z\le 2)-\mathrm{P}(0\le Z\le 1.5)$
$=0.4772-0.4332=0.044$

**03** $\mathrm{P}(-3\le Z\le -1)=\mathrm{P}(1\le Z\le 3)$
$=\mathrm{P}(0\le Z\le 3)-\mathrm{P}(0\le Z\le 1)$
$=0.4987-0.3413=0.1574$

**04** $\mathrm{P}(Z\ge 2)=\mathrm{P}(Z\ge 0)-\mathrm{P}(0\le Z\le 2)$
$=0.5-0.4772=0.0228$

**05** $\mathrm{P}(Z\ge -1.5)=\mathrm{P}(-1.5\le Z\le 0)+\mathrm{P}(Z\ge 0)$
$=\mathrm{P}(0\le Z\le 1.5)+\mathrm{P}(Z\ge 0)$
$=0.4332+0.5=0.9332$

**06** $\mathrm{P}(Z\le -1)=\mathrm{P}(Z\ge 1)$
$=\mathrm{P}(Z\ge 0)-\mathrm{P}(0\le Z\le 1)$
$=0.5-0.3413=0.1587$

**07** $\mathrm{P}(Z\le 2.5)=\mathrm{P}(Z\ge 0)+\mathrm{P}(0\le Z\le 2.5)$
$=0.5+0.4938=0.9938$

**08** $X$의 평균이 25, 표준편차가 3이므로 $Z=\dfrac{X-25}{3}$

**09** $X$의 평균이 40, 표준편차가 4이므로 $Z=\dfrac{X-40}{4}$

**10** $X$의 평균이 50, 표준편차가 10이므로 $Z=\dfrac{X-50}{10}$

**11** $X$의 평균이 10, 표준편차가 4이므로 $Z=\dfrac{X-10}{4}$
$\therefore \mathrm{P}(14\le X\le 22)=\mathrm{P}\left(\dfrac{14-10}{4}\le Z\le \dfrac{22-10}{4}\right)$
$=\mathrm{P}(1\le Z\le 3)$
따라서 $a=1,\ b=3$이므로 $b-a=2$

**12** $\mathrm{P}(23\le X\le 33)=\mathrm{P}\left(\dfrac{23-27}{4}\le Z\le \dfrac{33-27}{4}\right)$
$=\mathrm{P}(-1\le Z\le 1.5)$
$=\mathrm{P}(-1\le Z\le 0)+\mathrm{P}(0\le Z\le 1.5)$
$=\mathrm{P}(0\le Z\le 1)+\mathrm{P}(0\le Z\le 1.5)$
$=0.3413+0.4332=0.7745$

**13** $\mathrm{P}(29\le X\le 39)=\mathrm{P}\left(\dfrac{29-27}{4}\le Z\le \dfrac{39-27}{4}\right)$
$=\mathrm{P}(0.5\le Z\le 3)$
$=\mathrm{P}(0\le Z\le 3)-\mathrm{P}(0\le Z\le 0.5)$
$=0.4987-0.1915=0.3072$

**14** $\mathrm{P}(12\le X\le 18)=\mathrm{P}\left(\dfrac{12-15}{3}\le Z\le \dfrac{18-15}{3}\right)$
$=\mathrm{P}(-1\le Z\le 1)$
$=\mathrm{P}(-1\le Z\le 0)+\mathrm{P}(0\le Z\le 1)$
$=\mathrm{P}(0\le Z\le 1)+\mathrm{P}(0\le Z\le 1)$
$=0.3413+0.3413=0.6826$

**15** $\mathrm{P}(X\le 9)=\mathrm{P}\left(Z\le \dfrac{9-15}{3}\right)$
$=\mathrm{P}(Z\le -2)=\mathrm{P}(Z\ge 2)$
$=\mathrm{P}(Z\ge 0)-\mathrm{P}(0\le Z\le 2)$
$=0.5-0.4772=0.0228$

**16** $\mathrm{P}(35\le X\le 38)=\mathrm{P}\left(\dfrac{35-50}{6}\le Z\le \dfrac{38-50}{6}\right)$

$=\mathrm{P}(-2.5\le Z\le -2)=\mathrm{P}(2\le Z\le 2.5)$
$=\mathrm{P}(0\le Z\le 2.5)-\mathrm{P}(0\le Z\le 2)$
$=0.4938-0.4772=0.0166$

**17** $\mathrm{P}(32\le X\le 62)=\mathrm{P}\left(\frac{32-50}{6}\le Z\le \frac{62-50}{6}\right)$
$=\mathrm{P}(-3\le Z\le 2)$
$=\mathrm{P}(-3\le Z\le 0)+\mathrm{P}(0\le Z\le 2)$
$=\mathrm{P}(0\le Z\le 3)+\mathrm{P}(0\le Z\le 2)$
$=0.4987+0.4772=0.9759$

**18** $\mathrm{P}(80\le X\le 120)=\mathrm{P}\left(\frac{80-100}{10}\le Z\le \frac{120-100}{10}\right)$
$=\mathrm{P}(-2\le Z\le 2)$
$=\mathrm{P}(-2\le Z\le 0)+\mathrm{P}(0\le Z\le 2)$
$=\mathrm{P}(0\le Z\le 2)+\mathrm{P}(0\le Z\le 2)$
$=0.4772+0.4772=0.9544$

**19** $\mathrm{P}(85\le X\le 95)=\mathrm{P}\left(\frac{85-100}{10}\le Z\le \frac{95-100}{10}\right)$
$=\mathrm{P}(-1.5\le Z\le -0.5)$
$=\mathrm{P}(0.5\le Z\le 1.5)$
$=\mathrm{P}(0\le Z\le 1.5)-\mathrm{P}(0\le Z\le 0.5)$
$=0.4332-0.1915=0.2417$

**20** $Z=\frac{X-m}{4}$으로 놓으면 $Z$는 표준정규분포 $\mathrm{N}(0,\ 1)$을 따르므로 $\mathrm{P}(X\ge 35)=0.0228$에서
$\mathrm{P}\left(Z\ge \frac{35-m}{4}\right)=0.0228$
$\mathrm{P}(Z\ge 0)-\mathrm{P}\left(0\le Z\le \frac{35-m}{4}\right)=0.0228$
$0.5-\mathrm{P}\left(0\le Z\le \frac{35-m}{4}\right)=0.0228$
$\therefore \mathrm{P}\left(0\le Z\le \frac{35-m}{4}\right)=0.4772$
이때 $\mathrm{P}(0\le Z\le 2)=0.4772$이므로
$\frac{35-m}{4}=2,\ 35-m=8\quad \therefore m=27$

**21** $Z=\frac{X-40}{5}$으로 놓으면 $Z$는 표준정규분포 $\mathrm{N}(0,\ 1)$을 따르므로 $\mathrm{P}(35\le X\le k)=0.8185$에서
$\mathrm{P}\left(\frac{35-40}{5}\le Z\le \frac{k-40}{5}\right)=0.8185$
$\mathrm{P}\left(-1\le Z\le \frac{k-40}{5}\right)=0.8185$
$\mathrm{P}(-1\le Z\le 0)+\mathrm{P}\left(0\le Z\le \frac{k-40}{5}\right)=0.8185$
$\mathrm{P}(0\le Z\le 1)+\mathrm{P}\left(0\le Z\le \frac{k-40}{5}\right)=0.8185$
$0.3413+\mathrm{P}\left(0\le Z\le \frac{k-40}{5}\right)=0.8185$
$\therefore \mathrm{P}\left(0\le Z\le \frac{k-40}{5}\right)=0.4772$
이때 $\mathrm{P}(0\le Z\le 2)=0.4772$이므로
$\frac{k-40}{5}=2,\ k-40=10\quad \therefore k=50$

**22** $Z=\frac{X-20}{2}$으로 놓으면 $Z$는 표준정규분포 $\mathrm{N}(0,\ 1)$을 따르므로 $\mathrm{P}(X\ge a+20)=0.3085$에서
$\mathrm{P}\left(Z\ge \frac{a+20-20}{2}\right)=0.3085,\ \mathrm{P}\left(Z\ge \frac{a}{2}\right)=0.3085$
$\mathrm{P}(Z\ge 0)-\mathrm{P}\left(0\le Z\le \frac{a}{2}\right)=0.3085$
$0.5-\mathrm{P}\left(0\le Z\le \frac{a}{2}\right)=0.3085$
$\therefore \mathrm{P}\left(0\le Z\le \frac{a}{2}\right)=0.1915$
이때 $\mathrm{P}(0\le Z\le 0.5)=0.1915$이므로
$\frac{a}{2}=0.5\quad \therefore a=1$

**24** 학생들의 등교시간을 확률변수 $X$라고 하면 $X$는 정규분포 $\mathrm{N}(35,\ 10^2)$을 따르므로 $Z=\frac{X-35}{10}$으로 놓으면 $Z$는 표준정규분포 $\mathrm{N}(0,\ 1)$을 따른다.
$\therefore \mathrm{P}(30\le X\le 40)=\mathrm{P}\left(\frac{30-35}{10}\le Z\le \frac{40-35}{10}\right)$
$=\mathrm{P}(-0.5\le Z\le 0.5)$
$=\mathrm{P}(-0.5\le Z\le 0)+\mathrm{P}(0\le Z\le 0.5)$
$=\mathrm{P}(0\le Z\le 0.5)+\mathrm{P}(0\le Z\le 0.5)$
$=0.1915+0.1915=0.383$
따라서 등교시간이 30분 이상 40분 이하인 학생은 38.3 %이다.

**25** $\mathrm{P}(X\ge 50)=\mathrm{P}\left(Z\ge \frac{50-35}{10}\right)=\mathrm{P}(Z\ge 1.5)$
$=\mathrm{P}(Z\ge 0)-\mathrm{P}(0\le Z\le 1.5)$
$=0.5-0.4332=0.0668$
따라서 등교시간이 50분 이상인 학생은
$0.0668\times 10000=668$(명)

**26** 지원자들의 점수를 확률변수 $X$라고 하면 $X$는 정규분포 $\mathrm{N}(320,\ 10^2)$을 따르므로 $Z=\frac{X-320}{10}$으로 놓으면 $Z$는 표준정규분포 $\mathrm{N}(0,\ 1)$을 따른다.
$\therefore \mathrm{P}(325\le X\le 350)=\mathrm{P}\left(\frac{325-320}{10}\le Z\le \frac{350-320}{10}\right)$
$=\mathrm{P}(0.5\le Z\le 3)$
$=\mathrm{P}(0\le Z\le 3)-\mathrm{P}(0\le Z\le 0.5)$
$=0.4987-0.1915=0.3072$
따라서 점수가 325점 이상 350점 이하인 지원자는 30.72 %이다.

**27** $\mathrm{P}(X\ge 350)=\mathrm{P}\left(Z\ge \frac{350-320}{10}\right)=\mathrm{P}(Z\ge 3)$
$=\mathrm{P}(Z\ge 0)-\mathrm{P}(0\le Z\le 3)$
$=0.5-0.4987=0.0013$
따라서 점수가 350점 이상인 지원자는
$0.0013\times 10000=13$(명)

**28** 제품의 무게를 확률변수 $X$라고 하면 $X$는 정규분포 $\mathrm{N}(100,\ 10^2)$을 따르므로 $Z=\frac{X-100}{10}$으로 놓으면 $Z$는 표준정규분포 $\mathrm{N}(0,\ 1)$을 따른다.
$\therefore \mathrm{P}(X\ge 115)=\mathrm{P}\left(Z\ge \frac{115-100}{10}\right)=\mathrm{P}(Z\ge 1.5)$
$=\mathrm{P}(Z\ge 0)-\mathrm{P}(0\le Z\le 1.5)$

$=0.5-0.4332=0.0668$

따라서 불량품의 개수는

$0.0668\times5000=334$(개)

**29** 신입생이 받는 용돈을 확률변수 $X$라고 하면 $X$는 정규분포 $\mathrm{N}(40,\ 5^2)$을 따르므로 $Z=\frac{X-40}{5}$으로 놓으면 $Z$는 표준정규분포 $\mathrm{N}(0,\ 1)$을 따른다.

$\therefore \mathrm{P}(X\le30)=\mathrm{P}\left(Z\le\frac{30-40}{5}\right)=\mathrm{P}(Z\le-2)$

$=\mathrm{P}(Z\ge2)=\mathrm{P}(Z\ge0)-\mathrm{P}(0\le Z\le2)$

$=0.5-0.48=0.02$

따라서 30만 원 이하의 용돈을 받는 학생은

$0.02\times500=10$(명)

**30** 제자리 멀리 뛰기 기록을 확률변수 $X$라고 하면 $X$는 정규분포 $\mathrm{N}(210,\ 10^2)$을 따르므로 $Z=\frac{X-210}{10}$으로 놓으면 $Z$는 표준정규분포 $\mathrm{N}(0,\ 1)$을 따른다.

제자리 멀리 뛰기 상위 기록부터 200번째인 학생의 기록을 $a$ cm라고 하면

$\mathrm{P}(X\ge a)=\frac{200}{1000}=0.2,\ \mathrm{P}\left(Z\ge\frac{a-210}{10}\right)=0.2$

$\mathrm{P}(Z\ge0)-\mathrm{P}\left(0\le Z\le\frac{a-210}{10}\right)=0.2$

$0.5-\mathrm{P}\left(0\le Z\le\frac{a-210}{10}\right)=0.2$

$\therefore \mathrm{P}\left(0\le Z\le\frac{a-210}{10}\right)=0.3$

이때 $\mathrm{P}(0\le Z\le0.84)=0.3$이므로

$\frac{a-210}{10}=0.84,\ a-210=8.4\quad \therefore a=218.4$

따라서 제자리 멀리 뛰기 상위 기록부터 200번째인 학생의 기록은 218.4 cm이다.

**31** 응시자의 시험 성적을 확률변수 $X$라고 하면 $X$는 정규분포 $\mathrm{N}(360,\ 60^2)$을 따르므로 $Z=\frac{X-360}{60}$으로 놓으면 $Z$는 표준정규분포 $\mathrm{N}(0,\ 1)$을 따른다.

합격자의 최저 점수를 $a$점이라고 하면

$\mathrm{P}(X\ge a)=\frac{160}{1000}=0.16,\ \mathrm{P}\left(Z\ge\frac{a-360}{60}\right)=0.16$

$\mathrm{P}(Z\ge0)-\mathrm{P}\left(0\le Z\le\frac{a-360}{60}\right)=0.16$

$0.5-\mathrm{P}\left(0\le Z\le\frac{a-360}{60}\right)=0.16$

$\therefore \mathrm{P}\left(0\le Z\le\frac{a-360}{60}\right)=0.34$

이때 $\mathrm{P}(0\le Z\le1)=0.34$이므로

$\frac{a-360}{60}=1,\ a-360=60\quad \therefore a=420$

따라서 합격자의 최저 점수는 420점이다.

**32** 포도 한 송이의 무게를 확률변수 $X$라고 하면 $X$는 정규분포 $\mathrm{N}(300,\ 25^2)$을 따른다.

포도 한 상자의 무게를 확률변수 $Y$라고 하면

$\mathrm{E}(Y)=\mathrm{E}(8X)=8\mathrm{E}(X)=8\times300=2400$

$\sigma(Y)=\sigma(8X)=8\sigma(X)=8\times25=200$

이므로 $Y$는 정규분포 $\mathrm{N}(2400,\ 200^2)$을 따른다.

따라서 $Z=\frac{Y-2400}{200}$으로 놓으면 $Z$는 표준정규분포 $\mathrm{N}(0,\ 1)$을 따르므로 구하는 확률은

$\mathrm{P}(2400\le Y\le2600)$

$=\mathrm{P}\left(\frac{2400-2400}{200}\le Z\le\frac{2600-2400}{200}\right)$

$=\mathrm{P}(0\le Z\le1)=0.3413$

## 10 이항분포와 정규분포의 관계 본문 75쪽

**01** $\mathrm{E}(X)=1200\times\frac{1}{4}=300$

$\sigma(X)=\sqrt{1200\times\frac{1}{4}\times\frac{3}{4}}=\sqrt{225}=15$

**04** $\mathrm{P}(X\ge315)=\mathrm{P}\left(Z\ge\frac{315-300}{15}\right)$

$=\mathrm{P}(Z\ge1)=\mathrm{P}(Z\ge0)-\mathrm{P}(0\le Z\le1)$

$=0.5-0.3413=0.1587$

**05** 앞면이 나오는 횟수를 확률변수 $X$라고 하면 $X$는 이항분포 $\mathrm{B}\left(64,\ \frac{1}{2}\right)$을 따르므로

$\mathrm{E}(X)=64\times\frac{1}{2}=32$

$\sigma(X)=\sqrt{64\times\frac{1}{2}\times\frac{1}{2}}=\sqrt{16}=4$

즉 $X$는 근사적으로 정규분포 $\mathrm{N}(32,\ 4^2)$을 따르므로

$Z=\frac{X-32}{4}$로 놓으면 $Z$는 표준정규분포 $\mathrm{N}(0,\ 1)$을 따른다.

따라서 구하는 확률은

$\mathrm{P}(X\ge34)=\mathrm{P}\left(Z\ge\frac{34-32}{4}\right)=\mathrm{P}(Z\ge0.5)$

$=\mathrm{P}(Z\ge0)-\mathrm{P}(0\le Z\le0.5)$

$=0.5-0.1915=0.3085$

**06** 불량품이 나오는 횟수를 확률변수 $X$라고 하면 $X$는 이항분포 $\mathrm{B}\left(400,\ \frac{1}{10}\right)$을 따르므로

$\mathrm{E}(X)=400\times\frac{1}{10}=40$

$\sigma(X)=\sqrt{400\times\frac{1}{10}\times\frac{9}{10}}=\sqrt{36}=6$

즉 $X$는 근사적으로 정규분포 $\mathrm{N}(40,\ 6^2)$을 따르므로

$Z=\frac{X-40}{6}$로 놓으면 $Z$는 표준정규분포 $\mathrm{N}(0,\ 1)$을 따른다.

따라서 구하는 확률은

$\mathrm{P}(X\le28)=\mathrm{P}\left(Z\le\frac{28-40}{6}\right)=\mathrm{P}(Z\le-2)=\mathrm{P}(Z\ge2)$

$=\mathrm{P}(Z\ge0)-\mathrm{P}(0\le Z\le2)$

$=0.5-0.4772=0.0228$

## 11 모집단과 표본 본문 76쪽

**06** 복원추출하는 방법의 수는 3개의 공에서 2개를 뽑는 중복순열의 수와 같으므로

$_{3}\Pi_{2}=3^{2}=9$

**07** 한 개씩 비복원추출하는 방법의 수는 3개의 공에서 2개를 뽑는 순열의 수와 같으므로
$_{3}P_{2}=3\times2=6$

**08** 동시에 2개를 비복원추출하는 방법의 수는 3개의 공에서 2개를 뽑는 조합의 수와 같으므로
$_{3}C_{2}=\frac{3\times2}{2\times1}=3$

## 12 모평균과 표본평균 본문 77쪽

**01** 모집단 {1, 3, 5}에서 크기가 2인 표본을 복원추출하는 방법의 수는 $_{3}\Pi_{2}=3^{2}=9$
$\bar{X}=2$인 경우는 (1, 3), (3, 1)의 2가지이므로
$a=P(\bar{X}=2)=\frac{2}{9}$

**02** $\bar{X}=3$인 경우는 (1, 5), (3, 3), (5, 1)의 3가지이므로
$b=P(\bar{X}=3)=\frac{3}{9}=\frac{1}{3}$

**03** $\bar{X}=4$인 경우는 (3, 5), (5, 3)의 2가지이므로
$c=P(\bar{X}=4)=\frac{2}{9}$

**04** (2, 2)인 경우 $\bar{X}=2$
(2, 4), (4, 2)인 경우 $\bar{X}=3$
(2, 6), (4, 4), (6, 2)인 경우 $\bar{X}=4$
(4, 6), (6, 4)인 경우 $\bar{X}=5$
(6, 6)인 경우 $\bar{X}=6$
$\therefore\ \bar{X}=2, 3, 4, 5, 6$

**05**

| $X$ | 2 | 3 | 4 | 5 | 6 | 합계 |
|---|---|---|---|---|---|---|
| $P(X=x)$ | $\frac{1}{9}$ | $\frac{2}{9}$ | $\frac{1}{3}$ | $\frac{2}{9}$ | $\frac{1}{9}$ | 1 |

## 13 표본평균의 평균, 분산, 표준편차 본문 78쪽

**01** $E(\bar{X})=40$

**02** $V(\bar{X})=\frac{6^{2}}{100}=\frac{9}{25}$

**03** $\sigma(\bar{X})=\frac{6}{\sqrt{100}}=\frac{3}{5}$

**04** $E(\bar{X})=25,\ V(\bar{X})=\frac{16}{10}=\frac{8}{5}$이므로
$E(\bar{X})V(\bar{X})=25\times\frac{8}{5}=40$

**05** 모집단의 평균은
$E(X)=0\times\frac{1}{4}+1\times\frac{1}{2}+2\times\frac{1}{4}=1\quad\therefore E(\bar{X})=1$

**06** 모집단의 분산은
$V(X)=0^{2}\times\frac{1}{4}+1^{2}\times\frac{1}{2}+2^{2}\times\frac{1}{4}-1^{2}=\frac{1}{2}$
$\therefore V(\bar{X})=\frac{\frac{1}{2}}{9}=\frac{1}{18}$

**07** $\sigma(\bar{X})=\sqrt{\frac{1}{18}}=\frac{\sqrt{2}}{6}$

**08** 확률의 총합은 1이므로
$\frac{1}{3}+a+\frac{1}{2}=1\quad\therefore a=\frac{1}{6}$
따라서 모집단의 평균은
$E(X)=(-1)\times\frac{1}{3}+0\times\frac{1}{6}+1\times\frac{1}{2}=\frac{1}{6}$
이므로 표본평균 $\bar{X}$의 평균은
$E(\bar{X})=E(X)=\frac{1}{6}$

**09** 모평균이 7, 모분산이 36, 표본의 크기가 36이므로
$E(\bar{X})=7,\ V(\bar{X})=\frac{36}{36}=1$

**10** 모평균이 5, 모분산이 16, 표본의 크기가 4이므로
$E(\bar{X})=5,\ V(\bar{X})=\frac{16}{4}=4$
$V(\bar{X})=E(\bar{X}^{2})-\{E(\bar{X})\}^{2}$이므로
$E(\bar{X}^{2})=V(\bar{X})+\{E(\bar{X})\}^{2}=4+5^{2}=29$

**11** 표본평균의 표준편차가 $\frac{12}{\sqrt{n}}$이므로
$\frac{12}{\sqrt{n}}\le0.6,\ \sqrt{n}\ge20\quad\therefore n=400$

**12** 주머니에서 임의로 1개의 공을 꺼낼 때, 공에 적힌 숫자를 확률변수 $X$라 하고 $X$의 확률분포를 표로 나타내면 다음과 같으므로

| $X$ | 1 | 2 | 3 | 합계 |
|---|---|---|---|---|
| $P(X=x)$ | $\frac{1}{6}$ | $\frac{1}{2}$ | $\frac{1}{3}$ | 1 |

$E(X)=1\times\frac{1}{6}+2\times\frac{1}{2}+3\times\frac{1}{3}=\frac{13}{6}$
$\therefore E(\bar{X})=\frac{13}{6}$

**13** $V(X)=1^{2}\times\frac{1}{6}+2^{2}\times\frac{1}{2}+3^{2}\times\frac{1}{3}-\left(\frac{13}{6}\right)^{2}=\frac{17}{36}$
$\therefore V(\bar{X})=\frac{\frac{17}{36}}{4}=\frac{17}{144}$

**14** $\sigma(\bar{X})=\sqrt{\frac{17}{144}}=\frac{\sqrt{17}}{12}$

**15** 확률변수 $X$에 대하여
$E(X)=0\times\frac{1}{8}+1\times\frac{1}{4}+2\times\frac{1}{2}+3\times\frac{1}{8}=\frac{13}{8}$
$V(X)=0^{2}\times\frac{1}{8}+1^{2}\times\frac{1}{4}+2^{2}\times\frac{1}{2}+3^{2}\times\frac{1}{8}-\left(\frac{13}{8}\right)^{2}$
$=\frac{47}{64}$
표본의 크기가 $n$일 때, $V(\bar{X})=\frac{1}{4}$이므로
$\frac{\frac{47}{64}}{n}=\frac{1}{4}\quad\therefore n=\frac{47}{16}$

## 14 표본평균의 분포 본문 80쪽

**01** 모평균이 50, 모분산이 100, 표본의 크기가 25이므로

$E(\overline{X})=50,\ V(\overline{X})=\frac{100}{25}=4$

**04** $P(48\le\overline{X}\le54)=P\left(\frac{48-50}{2}\le Z\le\frac{54-50}{2}\right)$

$=P(-1\le Z\le2)$

$=P(-1\le Z\le0)+P(0\le Z\le2)$

$=P(0\le Z\le1)+P(0\le Z\le2)$

$=0.3413+0.4772=0.8185$

**05** 모집단이 정규분포 $N(6,\ 8^2)$을 따르고 표본의 크기가 4이므로 표본평균 $\overline{X}$는 정규분포 $N\left(6,\ \frac{8^2}{4}\right)$, 즉 $N(6,\ 4^2)$을 따른다.

$Z=\frac{\overline{X}-6}{4}$으로 놓으면 $Z$는 표준정규분포 $N(0,\ 1)$을 따르므로 구하는 확률은

$P(\overline{X}\ge10)=P\left(Z\ge\frac{10-6}{4}\right)=P(Z\ge1)$

$=P(Z\ge0)-P(0\le Z\le1)$

$=0.5-0.3413=0.1587$

**06** 모집단이 정규분포 $N(300,\ 40^2)$을 따르고 표본의 크기가 100이므로 표본평균 $\overline{X}$는 정규분포 $N\left(300,\ \frac{40^2}{100}\right)$, 즉 $N(300,\ 4^2)$을 따른다.

$Z=\frac{\overline{X}-300}{4}$으로 놓으면 $Z$는 표준정규분포 $N(0,\ 1)$을 따르므로 구하는 확률은

$P(302\le\overline{X}\le306)=P\left(\frac{302-300}{4}\le Z\le\frac{306-300}{4}\right)$

$=P(0.5\le Z\le1.5)$

$=P(0\le Z\le1.5)-P(0\le Z\le0.5)$

$=0.4332-0.1915=0.2417$

**07** $P(\overline{X}\ge296)=P\left(Z\ge\frac{296-300}{4}\right)$

$=P(Z\ge-1)=P(Z\le1)$

$=P(Z\le0)+P(0\le Z\le1)$

$=0.5+0.3413=0.8413$

## 15 모평균의 추정 본문 81쪽

**01** $20-1.96\times\frac{2}{\sqrt{100}}\le m\le20+1.96\times\frac{2}{\sqrt{100}}$

$\therefore\ 19.608\le m\le20.392$

**02** $120-2.58\times\frac{2}{\sqrt{100}}\le m\le120+2.58\times\frac{2}{\sqrt{100}}$

$\therefore\ 119.484\le m\le120.516$

**03** $50-1.96\times\frac{5}{\sqrt{100}}\le m\le50+1.96\times\frac{5}{\sqrt{100}}$

$\therefore\ 49.02\le m\le50.98$

**04** $50-2.58\times\frac{5}{\sqrt{100}}\le m\le50+2.58\times\frac{5}{\sqrt{100}}$

$\therefore\ 48.71\le m\le51.29$

**05** $2\times1.96\times\frac{4}{\sqrt{100}}=1.568$

**06** $2\times2.58\times\frac{4}{\sqrt{100}}=2.064$

**07** 모표준편차가 2이고, 신뢰도 99 %로 모평균을 추정할 때, 신뢰도의 길이가 4 이하이어야 하므로

$2\times2.58\times\frac{2}{\sqrt{n}}\le4,\ \sqrt{n}\ge2.58\qquad\therefore\ n\ge6.6564$

따라서 $n$은 자연수이므로 $n$의 최솟값은 7이다.

**08** 표본평균이 15, 모표준편차가 10이므로 모평균 $m$을 신뢰도 95 %로 추정한 신뢰구간은

$15-2\times\frac{10}{\sqrt{n}}\le m\le15+2\times\frac{10}{\sqrt{n}}$

이때 $13\le m\le17$이므로

$15-2\times\frac{10}{\sqrt{n}}=13,\ 15+2\times\frac{10}{\sqrt{n}}=17$

따라서 $2\times\frac{10}{\sqrt{n}}=2$이므로

$\sqrt{n}=10\qquad\therefore\ n=100$

**09** 정규분포 $N(m,\ \sigma^2)$을 따르는 모집단에서 크기가 $n$인 표본을 임의추출하여 추정한 모평균의 신뢰구간의 길이는

$2k\frac{\sigma}{\sqrt{n}}$ (단, $k$는 상수)

신뢰도가 일정할 때, 표본의 크기가 작을수록 $\sqrt{n}$의 값이 작아지므로 $2k\frac{\sigma}{\sqrt{n}}$의 값은 커진다. (거짓)

**10** 신뢰도를 낮추면 $k$의 값이 작아지고, 표본의 크기를 크게 하면 $\sqrt{n}$의 값이 커지므로 $2k\frac{\sigma}{\sqrt{n}}$의 값은 작아진다. (참)

**11** 표본의 크기가 일정할 때, 신뢰도가 높아지면 $k$의 값이 커지므로 $2k\frac{\sigma}{\sqrt{n}}$의 값은 커진다. (참)

**12** 정규분포 $N(m,\ \sigma^2)$을 따르는 모집단에서 크기가 $n$인 표본을 임의추출하여 추정한 모평균의 신뢰구간의 길이는

$2k\frac{\sigma}{\sqrt{n}}$ (단, $k$는 상수)

이므로 $n$ 대신 $16n$을 대입하면 신뢰구간의 길이는

$2k\frac{\sigma}{\sqrt{16n}}=\frac{1}{4}\times2k\frac{\sigma}{\sqrt{n}}$

따라서 표본의 크기가 16배가 되면 신뢰구간의 길이는 $\frac{1}{4}$배가 되므로 $a=\frac{1}{4}$